# Vivent les différences

Gilbert A. Jarvis
THE OHIO STATE UNIVERSITY

Thérèse M. Bonin
THE OHIO STATE UNIVERSITY

Donald E. Corbin
THE OHIO STATE UNIVERSITY

Diane W. Birckbichler
THE OHIO STATE UNIVERSITY

# Vivent les différences

AN INTERMEDIATE READER FOR COMMUNICATION

HOLT, RINEHART AND WINSTON
*New York   San Francisco   Toronto   London*

**Library of Congress Cataloging in Publication Data**

Main entry under title:
*Vivent les différences*
1. French language Reader—Readers. III Jarvis, Gilbert A.
PC2117.V57   448'.6'421   76-46535

ISBN 0-03-015281-X

Acknowledgments for the use of reading selections appear at the end of each reading selection. Illustration credits appear on p. 206 at the end of this book.

*Vivent les différences*
by Gilbert A. Jarvis, Thérèse M. Bonin, Donald E. Corbin, Diane W. Birckbichler
Copyright © 1977 by Holt, Rinehart and Winston
All Rights Reserved

PRINTED IN THE UNITED STATES OF AMERICA

7 8 9 0 1   081   9 8 7 6 5 4 3 2 1

# Table des Matières

# *Preface*

Students in today's French classrooms will spend the majority of
their lives in the twenty-first century. Their experience in class today
can help prepare them for the interdependent world of tomorrow.
We are coming to see our planet as a rich mosaic of cultures, sub-
cultures, and differences among individuals. Through the study of
French, students can come to understand and value these differences
by seeing them in their most vivid form . . . differences between
cultures. But the classroom is more; it is a microcosm of the world.
By communicating what he or she thinks or feels about any topic or
idea whatsoever and by hearing others express what they think or
feel, the student inevitably learns what he or she is and what others
are. In this sharing of ideas the student can learn to value differences
among people. Valuing diversity is also a valuing of one's self, one's
autonomy, one's "personness." It is, in effect, a valuing of human-
ity.

*Vivent les différences* has been created with these goals in mind.

# Introduction

### Purpose

The satisfaction and pleasure of being able to read appealing cultural content and to communicate with others in a new language is a powerful motivator of today's students. The to provide students the opportunity to apply and utilize in a meaningful way the language structures and vocabulary they have learned is especially great during the transition from elementary to intermediate advanced materials. *Vivent les différences, An Intermediate Reader for Communication* is designed to facilitate this transition. It may supplement a grammar textbook or may be used by itself following a basic textbook. It provides:

1. Cultural readings that reveal the customs, thought, and everyday life of the French people.
2. Communication activities that are not only enjoyable but also valid learning activities.

### Difficulty

*Vivent les différences* is written entirely within the 3000 most frequent words in French as indicated by the *Français Fondamental* word list. Any other vocabulary items that are not recognizable cognates or derivatives of cognates are glossed in the margin. The readings have been sequenced in terms of both difficulty and content.

Most of the reading selections are adaptations of articles that have recently appeared in French magazines. The selections have been edited and simplified so as to minimize serious linguistic problems while retaining authentic cultural insights. For this reason, the original French punctuation has been retained. *Vivent les différences* should be viewed as a bridge between the contrived content of elementary materials and unedited French readings. Thus *Vivent les différences* has a higher level of difficulty and more sophisticated content than *Passeport pour la France* and *Connaître et se connaître,* other readers in the same series.

## Organization

Each reading selection provides cultural or human-interest content. The activities that follow each selection utilize the themes, ideas, and topics in the reading. They provide many varied and flexible formats for the meaningful use of French. The first activity in all chapters relates to comprehension of the reading selection. All activities are intended to be both enjoyable and valid for the development of language skills. Their focus upon communication makes them very different from grammatical exercises. *Notes culturelles* provide information about French culture.

## Special Note to the Instructor

The authors believe that it is the classroom instructor who is in the best position to decide how to structure activities for his or her students. *Vivent les différences* is therefore intentionally flexible and versatile. Activities can, for example, be included or omitted. Moreover, it is the instructor who must make decisions such as whether an activity should be done orally or in writing, in a large group or in small groups. Thus, the book can be utilized in many different ways in many different programs.

The flexibility in the book also extends to the student, who is given many opportunities to examine and express what he or she thinks and believes. The "?" is used in many activities as an invitation to the student to create additional responses whenever he or she wishes to do so. Like any invitation, it can be accepted or declined. In the classroom testing of these activities, many students did in fact accept the invitation to create; communication skills increased and positive attitudes developed.

*Vivent les différences*

# 1

# *Aimez-vous rire?*

Il y a des gens qui rient tout le temps, et il y a des gens qui ne rient jamais ; et cela, c'est vrai en France aussi bien que n'importe où.° Mais, en général, on peut dire que les Français aiment rire, savent rire, font
5 rire—ou du moins ils imaginent qu'ils savent faire rire —et trouvent qu'une des qualités essentielles de l'homme comme de la femme est de savoir faire rire. La fameuse gaieté française est donc toujours bien vivante.°

*anywhere else*

*alive*

## LES FRANÇAIS ET LE RIRE

*(Réponses données par les Français au sondage organisé par L'Express.)*

1. **Pensez-vous que les Français aiment rire?**
   - oui     80%
   - non     17%
   - sans opinion     3%

2. **Pensez-vous que les Français savent faire rire?**
   - oui     71%
   - non     25%
   - sans opinion     4%

3. **Vous, personnellement, dans quelle catégorie vous classez-vous?**
   - parmi les gens qui aiment bien rire     87%
   - parmi les gens qui n'aiment pas beaucoup rire     12%
   - sans opinion     1%

4. **Pensez-vous que, personnellement, vous êtes....**
   - parmi les gens qui font rire     53%
   - parmi les gens qui ne font pas rire     43%
   - sans opinion     4%

5. **Avez-vous l'impression que, dans la vie, vous avez de plus en plus ou de moins en moins l'occasion de rire?**
   - de moins en moins     62%
   - de plus en plus     16%
   - sans changement     22%

6. **Faire rire, est-ce une qualité essentielle pour un homme?**
   - oui     55%
   - non     41%
   - sans opinion     4%

7. **Faire rire, est-ce une qualité essentielle pour une femme?**
   - oui     50%
   - non     45%
   - sans opinion     5%

Dans ce joyeux tableau, il y a pourtant une note alarmante. Soixante-deux pour cent des Français trouvent qu'ils ont de moins en moins souvent l'occasion de rire. Et quand on leur demande quels sont leurs acteurs comiques préférés, ils ont tendance à choisir des comédiens qui sont morts ! Est-ce que cela veut dire que la gaieté est en train de devenir un sentiment nostalgique, un souvenir du bon vieux temps ? Ou bien que la nature de la vie moderne tue le rire ? En tout cas, un fait est certain : les Français aiment toujours autant rire, mais il est peut-être un peu plus difficile de les faire rire.

Extrait et adapté d'un article de *L'Express* par Patrick Thévenon

# ACTIVITÉS

## A. *COMPRÉHENSION DU TEXTE*

*Indiquez si le sens de la phrase est vrai ou faux d'après le texte. S'il est faux, corrigez la phrase.*

1. La France n'est pas le seul pays où il y a des gens qui aiment rire et d'autres qui n'aiment pas rire.

2. En général, les Français sont des gens qui n'aiment pas rire.

3. Les Français pensent qu'ils sont incapables de faire rire.

4. Les Français pensent que savoir faire rire n'est pas une qualité aussi importante pour l'homme que pour la femme.

5. Les Français ont la réputation d'être des gens qui aiment rire et s'amuser.

6. La majorité des Français pensent qu'ils ont de plus en plus souvent l'occasion de rire.

7. Les comédiens préférés des Français sont tous des comédiens étrangers.

8. L'auteur pense qu'il est de plus en plus difficile de faire rire les Français.

## B. *SONDAGE D'OPINION*

*Est-ce que les Américains aiment rire ? Pour le savoir 1) Répondez vous-même aux questions du sondage en substituant « Américains » à « Français. » 2) Posez ces mêmes questions à d'autres Américains. 3) Si vous voulez, vous pouvez additionner les résultats, les convertir en pourcentages et comparer les réactions des Américains à celles des Français.*

## C. *L'ÉCOLE DU RIRE*

*Certains experts—qui préfèrent rester anonymes—pensent que les plaisanteries qui suivent sont « la crème de l'humour ». Êtes-vous d'accord ? Quelle est, selon vous, la plaisanterie la plus drôle ? la moins drôle ? Pouvez-vous faire mieux ?*

1. PIERRE: « C'est horrible. Le professeur vient de nous rendre nos devoirs. Je n'ai jamais eu une aussi mauvaise note. »
   SYLVIE: « Ce n'est pas possible. Tu as eu un zéro la semaine dernière. »
   PIERRE: « Oui, mais cette fois-ci, j'ai fait une faute en écrivant mon nom. »

2. JACQUES: « Tiens papa, voilà mes notes du trimestre. »
   SON PÈRE: « Hmmm. En tout cas, c'est évident que tu n'as pas copié. »

3. Jean-Louis est venu en classe seulement le premier jour du trimestre. Mais à l'examen final, il obtient 99 sur 100. Perplexe, le professeur lui demande:

« Jean-Louis, vous avez été absent tout le trimestre et vous avez 99 à l'examen final. Pouvez-vous m'expliquer cela ? »

Jean-Louis répond : « C'est simple : je suis venu en classe le premier jour ; sinon j'aurais eu 100. »

4. PROFESSEUR : « Que pouvez-vous me dire sur les grands poètes du 19e siècle ? »

ÉTUDIANT : « Ils sont tous morts. »

5. ÉTUDIANT : « Monsieur, je ne mérite pas un zéro à cet examen. »

PROFESSEUR : « C'est vrai, Marc, mais zéro est la note la plus basse qui existe. »

6. PROFESSEUR : « Est-ce que vous avez écrit ce poème vous-même, Lucien ? »

LUCIEN : « Mais oui, madame. »

PROFESSEUR : « Dans ce cas, je suis heureux de faire votre connaissance, Monsieur Victor Hugo. Mais je croyais que vous étiez mort il y a longtemps. »

7. Gérard a une très bonne opinion de lui-même. Le jour de son anniversaire, il a envoyé une lettre de félicitations à sa mère.

8. La classe est en train de discuter les problèmes des gens sans travail.

ALAIN : « Moi, je sais comment résoudre ce problème. »

LE PROFESSEUR : « Ah oui ? Comment ? »

ALAIN : « Eh bien, je mettrais tous les hommes sur une île et toutes les femmes sur une autre. »

LE PROFESSEUR : « Je ne vois pas comment ça va résoudre le problème. »

ALAIN : « C'est simple : ils seront tous occupés à construire des bateaux. »

9. Deux professeurs parlent de leurs anciens élèves.

MADAME LEBRUN : « Vous vous souvenez de Victor ? »

MADAME MILLON : « Victor . . . ? Ah oui, je me souviens de lui. Il avait toujours un petit chien avec lui. Qu'est-ce qui lui est arrivé ? »

MADAME LEBRUN : « Ils se sont finalement séparés. Le chien a obtenu son diplôme de fin d'études. »

10. Le professeur pose une question à un élève. L'élève ne répond pas. Le professeur demande :

« Voyons, Hervé, qu'est-ce qui vous embarrasse ; est-ce ma question ? »

« Non, répond Hervé, c'est la réponse. »

# D. *AVEZ-VOUS DES TALENTS DE COMÉDIEN ?*

*Peut-être qu'il y a parmi vous des étudiants qui ont des talents de comédien. Organisez une petite compétition pour savoir qui est le meilleur comédien. Chaque participant ou chaque groupe de participants pourra raconter une histoire amusante, faire le clown ou jouer la comédie—en français, bien sûr—et le reste de la classe votera. Le gagnant recevra la médaille du « meilleur comédien » de la classe.*

# E. *QUESTIONS / INTERVIEW*

*Répondez aux questions suivantes ou utilisez-les pour interviewer un(e) autre étudiant(e). Le « ? » est une invitation à poser d'autres questions si vous le désirez.*

1. Aimez-vous rire ?
2. Qu'est-ce qui vous fait rire ?
3. Aimez-vous être en compagnie de gens amusants ?
4. Parmi les films que vous avez vus, lequel est le plus amusant ?
5. Quelle est, parmi vos ami(e)s, la personne la plus amusante ?
6. Quel programme de télévision trouvez-vous le plus amusant ?
7. Quel comédien trouvez-vous le plus amusant ?
8. Quelle est votre comédienne préférée ?
9. Quel est le programme de télévision le plus amusant que vous regardiez quand vous étiez petit(e) ?
10. Parmi les livres que vous avez lus, lequel est le plus amusant ?
11. Est-ce que vous aimez raconter des histoires amusantes ?
12. ?

# F. VIVENT LES DIFFÉRENCES !

*Tout le monde a ses propres points de vue, perspectives et sentiments sur les sujets suivants. Quels sont les vôtres ? Commentez et discutez une ou plusieurs des questions qui suivent.*

1. Est-ce qu'il vous est arrivé des aventures amusantes ? Racontez-en une.
2. Est-ce que vous préférez voir des films sérieux ou des films amusants ? Pourquoi ?
3. Est-ce que les problèmes et les complexités de la vie moderne nous font perdre notre « joie de vivre » ?
4. On rit souvent afin de ne pas pleurer. Expliquez et commentez.
5. Quels sont les comédiens les plus à la mode en ce moment ? Pourquoi les trouvons-nous amusants ?
6. Les Américains ont-ils le sens de l'humour ? Qu'est-ce qui le caractérise ?
7. Quelle sorte d'humour appréciez-vous personnellement ? Donnez des exemples.

# 2

# Les 24 Heures du Mans

GERARD LARROUSSE UN DES VAINQUEURS
DES 24 HEURES DU MANS

Pour un Français, l'automobile n'est pas seulement un moyen de transport, c'est aussi la vitesse et l'aventure. L'histoire et la popularité des 24 heures du Mans reflètent cette fascination.

5     Depuis plus de cinquante ans, les plus grands champions de tous les pays participent à cette course d'endurance, et de nombreux spectateurs suivent leurs exploits. Cette course, qui dure 24 heures, est considérée comme la compétition la plus sélective du monde.

10     Chaque année les machines sont de plus en plus rapides, et leurs constructeurs risquent des sommes considérables dans cette course. Les cinquante voitures qui prennent le départ devant trois ou quatre cent mille spectateurs représentent une fortune de vingt 15 millions de francs. En Europe, aux États-Unis, au Japon, cette course est télévisée pour des millions de spectateurs enthousiastes.

Le circuit du Mans, créé en 1923, a pris sa forme définitive en 1968. Il est long de 13,5 kilomètres et 20 c'est le seul circuit du monde qui possède une ligne droite° de 6 km. Sur cette ligne droite, les voitures peuvent monter jusqu'à 350 km/h.° Un bon pilote fait

*straightaway*

kilomètres à l'heure

le circuit complet en 3 minutes et 22 secondes ; sa vitesse moyenne° est de 240 km/h et il change de vitesse 32 fois.

*average*

Le départ a toujours lieu à 16 heures, devant les
5 stands. Ce départ est très spectaculaire parce que les pilotes doivent courir vers les voitures qui attendent, moteur arrêté, de l'autre côté de la piste.° Mais depuis 1970, cette pratique n'existe plus, et les pilotes attendent le départ dans leur voiture. Ce nouveau change-
10 ment a été adopté pour des raisons de sécurité et aussi à cause de la démonstration du Belge Ickx en 1969. Au moment du départ, Ickx a refusé de courir et est allé tranquillement vers sa voiture ; il est parti le dernier. Mais 24 heures plus tard, c'était lui le grand vain-
15 queur° de la course !

*track*

*qui arrive le premier*

Pour communiquer avec les pilotes, on utilise un système de drapeaux° de différentes couleurs. Le drapeau rouge signifie « arrêt immédiat » ; le jaune, « attention danger » ; si on agite le drapeau jaune, cela
20 veut dire « attention grand danger, interdiction de doubler° ». Le drapeau bleu signifie « un autre pilote veut vous doubler ». Le blanc annonce une ambulance qui circule sur la piste. Le drapeau à carreaux noirs et blancs° indique la fin de la course.

*flags*

*pass*

*black and white checkered*

LA « MATRA-SIMCA MS 670 », PILOTÉE PAR PESCAROLLO ET LARROUSSE

La couleur des voitures sert à identifier leur nationalité. Par exemple, les voitures françaises sont
bleues, les anglaises sont vertes, les italiennes sont
rouges, les allemandes sont grises, et les américaines
5 sont blanches et bleues.

Depuis 1923, il y a eu 13 accidents mortels. Le plus
dramatique a eu lieu en 1955. Après la collision de
plusieurs voitures, une Mercédès a explosé juste devant les stands, et le moteur a été projeté au milieu
10 des spectateurs. Il y a eu 86 morts.

Les records ont beaucoup changé depuis 1923. La
première année, le record de vitesse a été de 107,33
km/h de moyenne. Maintenant, le record est supérieur
à 240 km/h. Mais une question reste posée : jusqu'à
15 quel point peut-on continuer à battre les records, et au
prix de quels risques ?

Extrait et adapté d'un article de *Paris Match* par Chaigneau

# ACTIVITÉS

## A. *COMPRÉHENSION DU TEXTE*

*Répondez aux questions suivantes selon les renseignements donnés dans le
texte.*

1. Combien de voitures participent à la course ?

2. Quelle est la longueur du circuit ?

3. Quelle est la vitesse maximum des voitures ?

4. Quelle est la vitesse moyenne d'un bon pilote ?

5. Combien de temps faut-il à un bon pilote pour faire le circuit
complet ?

6. À quelle heure le départ a-t-il lieu ?

7. Comment communique-t-on avec les pilotes pendant la course ?

8. Que signifie le drapeau jaune ?

9. Que signifie le drapeau à carreaux noirs et blancs ?

10. Comment peut-on identifier la nationalité des différentes voitures ?

11. Quel a été l'accident le plus tragique des 24 heures du Mans ?

12. Quelle est la différence entre le record de vitesse de 1923 et le record présent ?


# B. L'AUTOMOBILE

*Pour beaucoup de Français, l'automobile représente la vitesse et l'aventure. Que représente-t-elle pour les gens suivants? Utilisez les éléments de chaque colonne pour créer des phrases.*

|  |  |  |
|---|---|---|
|  |  | l'indépendance. |
|  |  | le confort. |
|  |  | un moyen de transport pratique. |
| Pour moi |  | la vitesse. |
| Pour les jeunes |  | l'aventure. |
| Pour les vieux |  | un danger public. |
| Pour les Français |  | la pollution de l'air. |
| Pour les Américains | l'automobile | un test d'endurance. |
| Pour les cyclistes | représente | le luxe. |
| Pour les agents de police |  | le prestige. |
| Pour les coureurs automobiles |  | la sécurité. |
| Pour les mécaniciens |  | un moyen d'évasion. |
| Pour les constructeurs |  | une migraine. |
| ? |  | l'argent. |
|  |  | le bruit. |
|  |  | le progrès. |
|  |  | le sommet de la technique. |
|  |  | ? |

# C. COMPÉTITION

*Pour être un bon coureur automobile, il faut avoir l'esprit de compétition. Et vous, avez-vous l'esprit de compétition ? Les situations suivantes vont vous permettre d'analyser vos réactions.*

1. Si un autre étudiant de votre classe est aussi bon que vous en mathématiques, que faites-vous ?

   a. J'ai tendance à abandonner.
   b. Je travaille encore plus pour être le meilleur.
   c. Je suis malade d'envie.
   d. ?

2. Votre équipe de football a perdu un match et un membre de l'autre équipe vous accuse de manquer de courage. Quelle est votre réaction ?

   a. Je lui dis que je suis sûr que notre équipe gagnera le match suivant.
   b. Je pars sans rien dire parce qu'il est plus grand que moi.
   c. Je me bats avec lui pour lui prouver le contraire.
   d. ?

3. Vous devez aller en voiture dans une ville voisine avec plusieurs amis. Un de vos amis dit qu'il arrivera avant vous. Que faites-vous ?

   a. Je prends mon temps parce que ma sécurité est plus importante.
   b. Je prends une petite route qu'il ne connaît pas et qui est plus rapide.
   c. Je réduis le volume d'air dans un de ses pneus pour l'obliger à s'arrêter à une station-service.
   d. ?

4. Le directeur du magasin où vous désirez travailler pendant l'été vous accorde une entrevue. Pendant la discussion le directeur mentionne qu'un de vos amis a fait une demande pour le même poste.

    a. Je dis que mon ami a beaucoup de qualités et de talents.
    b. J'essaie d'impressionner le directeur avec mes propres qualités.
    c. Pour être sûr d'obtenir ce poste, j'exagère mes propres qualités.
    d. ?

5. Un de vos amis a de nouveaux vêtements. Tout le monde admire son élégance. Que faites-vous ?

    a. Je lui fais un compliment sur son élégance.
    b. Je prends mes économies et j'achète aussi de nouveaux vêtements.
    c. J'insiste pour que mes parents m'achètent des vêtements encore plus beaux.
    d. ?

6. Il y a des élections pour choisir le président de la classe. Vous êtes candidat. Que faites-vous ?

    a. Je présente mes idées et j'espère que les autres étudiants seront d'accord avec moi.
    b. Je demande à mes amis de faire tout leur possible pour m'aider à gagner.
    c. J'emploie tous les moyens possibles — mêmes des moyens pas très honnêtes — pour gagner.
    d. ?

7. Vous participez à une compétition sportive. Le matin de la course, vous vous sentez malade. Que faites-vous ?

    a. Je reste au lit et je dors toute la journée.
    b. Je ne suis pas sûr si je vais participer ou non à la compétition.
    c. Je prends de l'aspirine et des antibiotiques et j'y vais quand même.
    d. ?

# D. ACHAT D'UNE VOITURE

1. *Qualités : Quelles sont les qualités les plus importantes que vous demandez à une automobile ? Mettez les qualités suivantes dans l'ordre d'importance qu'elles ont pour vous.*

_____ pratique _____ confortable

_____ silencieuse _____ bon marché

_____ spatieuse _____ économique

_____ puissante _____ rapide

_____ élégante _____ solide et résistante

_____ ?

2. *Accessoires : Vous avez décidé d'acheter une voiture. Le vendeur va vous demander quelles « options » vous désirez. Vous avez seulement 3000 francs pour les accessoires. Qu'allez-vous choisir considérant le prix des options suivantes ?*

| | |
|---|---|
| 1. radio-cassette stéréo | 800 francs |
| 2. climatisation (*air conditioning*) | 1800 francs |
| 3. transmission automatique | 800 francs |
| 4. freinage assisté (*power brakes*) | 300 francs |
| 5. direction assistée (*power steering*) | 400 francs |
| 6. freins à disques | 120 francs |
| 7. radio | 320 francs |

# F. VOITURES D'OCCASION

*Maintenant que vous avez acheté une nouvelle auto, vous désirez vendre votre vieille voiture.*

**204 PEUGEOT** GL, 1972 verte, 1re main, 45.000 km. Accessoires. 8.600 F. Urgent. 659-62-10.

**MERCEDES** 280, SE, 69, boîte automatique, direction assistée, gris métal. Tél. particulier : 478-03-91.

**BREAK** Ford Granada, 5.500 km. Absolument neuve. 041-15-39.

1. *Petite annonce : Préparez la petite annonce que vous allez mettre dans le journal local. Inspirez-vous des exemples qui précèdent.*

# Pour faire paraître
## une petite annonce à 20ᶠ
### remplissez la grille ci-dessous

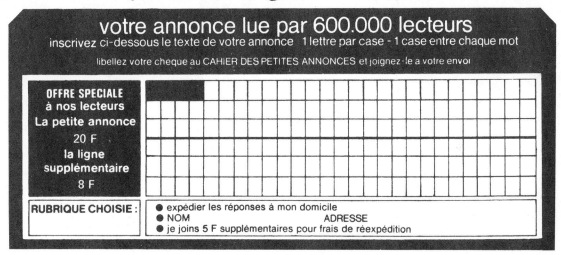

2. *Mini-drame : Choisissez un(e) autre étudiant(e) pour jouer le rôle du client. Expliquez-lui les qualités de votre voiture. Discutez ; soyez convaincant(e).*


## G. *VIVENT LES DIFFÉRENCES !*

*Commentez et discutez une ou plusieurs des questions suivantes.*

1. Quelle serait, pour vous, la voiture idéale ?
2. Que représente la voiture pour les Américains ?
3. Qu'est-ce qui caractérise l'Américain au volant ?
4. Est-ce que les Américains attachent trop d'importance à la voiture ?

# 3
# Vivent les jeunes!

Ils ont entre quinze et vingt-cinq ans. Ils ont
grandi° avec la télé, la bombe atomique, l'exploration     *grew up*
spatiale et la crise de l'énergie. Ce sont les enfants
de la révolution technologique.

5   Cette génération a grandi dans une période unique
de l'histoire de l'humanité, dans un monde en transfor-
mation constante. Elle peut donc jouer le rôle de leader
dans le monde moderne. Elle peut être le modèle et le
moteur du changement. Elle peut servir d'avant-garde
10 et d'inspiration à la société des adultes.

Qui est à l'origine des idées nouvelles ? Qui pose
les vraies questions ? Qui a forcé le monde à faire face
à ses problèmes ? Les hommes politiques ? Non. C'est
la jeunesse.

15   Ce sont les jeunes qui nous ont forcés à voir l'absur-
dité de la vie moderne. L'aliénation de l'homme dans
la société, la pollution de l'environnement, la destruction des ressources naturelles, l'écologie, la qualité de
la vie : tous ces problèmes ont été portés à l'attention
20 du public par la jeunesse.

En France, les jeunes sont à la base des principales
réformes considérées par le gouvernement. C'est vrai
pour l'avortement,° le service militaire, la vie des tra-     *abortion*
vailleurs étrangers, le problème des objecteurs de con-
25 science, la réforme des prisons et bien d'autres sujets.
Ce sont rarement les agences gouvernementales ou les
partis politiques ou les syndicats ouvriers° qui sont à     *labor unions*
l'origine des idées nouvelles. Ce sont les jeunes qui
provoquent les changements bien plus souvent que
30 les gouvernements. La jeunesse est une force d'in-

**18**

novation et d'impulsion. Elle influence les idées et
les styles de vie. Il est donc nécessaire d'avoir avec les
jeunes un dialogue permanent. Mais en réalité, ce dialogue est souvent absent. Notre société traite les ado-
5 lescents en° mineurs et non en jeunes adultes. Elle          *as*
veut les programmer selon ses propres règles.°               *rules*

    Ainsi la société transforme une période de créati-
vité en une période de répression. Elle emprisonne les
jeunes dans des institutions sociales qui sont le con-
10 traire de la vie réelle. Ces institutions sont coupées°      *cut off*
de la réalité. Elles poussent les jeunes à la passivité au
lieu d'encourager leur créativité et leur spontanéité.
Les lycées continuent à répéter les mêmes idées ar-
chaïques. Les universités sont construites sur des cam-
15 pus isolés de la ville et de ses réalités. L'armée traite
les soldats en robots. Partout la société cherche à°          *essaie de*
emprisonner les jeunes dans un infantilisme forcé. Elle
ne leur permet pas d'être eux-mêmes. Elle veut que les
jeunes se conforment à ses propres normes pour as-
20 surer la reproduction du présent et du « désordre
établi ».

    La société condamne les jeunes à la ségrégation et
elle les force à la révolte ou à l'indifférence. Mais les
jeunes représentent l'avenir et on ne peut pas gouver-
25 ner un pays sans sa jeunesse. On ne fera pas de vrais
progrès sans utiliser cette source d'innovation et
d'énergie créatrice.

    La politique de papa, c'est fini !

Extrait et adapté d'un article de *l'Express*
par Roger-Gérard Schwartzenberg

# ACTIVITÉS

## A. ÊTES-VOUS D'ACCORD ?

*L'article qui précède a été écrit par un ardent défenseur de la jeunesse. Vos propres opinions sont peut-être différentes. Dans quelle mesure êtes-vous d'accord avec les opinions exprimées ?*

1. La société ne permet pas aux jeunes d'être eux-mêmes.
2. Ce sont toujours les jeunes qui lancent les idées nouvelles.
3. Les jeunes représentent la conscience de la société.
4. Aux États-Unis, ce sont les jeunes qui sont à la base des principales réformes politiques et sociales.
5. La jeunesse influence favorablement les idées et les styles de vie.
6. Notre société traite les jeunes en mineurs et non en jeunes adultes.
7. Les lycées et les universités poussent les jeunes à la passivité.
8. Les lycées et les universités sont coupés de la vie réelle.
9. La société essaie de forcer les jeunes à se conformer à ses propres normes.
10. Les jeunes sont séparés du reste de la société.
11. C'est la société qui force les jeunes à la révolte ou à l'indifférence.
12. L'avenir d'un pays dépend de sa jeunesse.

# B. PROBLÈMES SOCIAUX

*Beaucoup de problèmes ont été portés à l'attention du public au cours des dernières années. Quels sont les problèmes qui vous paraissent les plus importants ? Indiquez le degré d'importance qu'ils ont pour vous.*

0 = sans importance
1 = peu d'importance
2 = importance modérée
3 = grande importance
4 = très grande importance

_____ 1. la crise de l'énergie

_____ 2. l'inflation

_____ 3. la pollution de l'environnement

_____ 4. l'exploration spatiale

_____ 5. la révolution technologique

_____ 6. la destruction des ressources naturelles

_____ 7. la réforme des prisons

_____ 8. la libération des femmes

_____ 9. les problèmes de la drogue

_____ 10. les problèmes des groupes minoritaires

_____ 11. la violence et le crime

_____ 12. le conflit entre Israël et les pays arabes

_____ 13. l'invasion de la vie privée par les agences gouvernementales

_____ 14. le danger d'une guerre nucléaire

_____ 15. les relations avec la Chine

# C. QUI EST RESPONSABLE ?

*Avec les éléments suivants, composez des phrases qui expriment vos opinions et convictions personnelles.*

Les jeunes
Les hommes politiques
Les syndicats ouvriers
Les industries
Les hommes d'affaires          est responsable
Le gouvernement               sont responsables
La télévision et la presse
Les féministes
Le système d'éducation
Les parents
                    ?

d'une réévaluation des
    valeurs traditionelles.
de l'augmentation
    des salaires.
des conflits
    internationaux.
des idées nouvelles.
du désordre qui
    existe dans
    la société.
de la pollution.
de l'inflation.
de la crise de l'énergie.
du changement
    des styles de vie.
du chômage.
de la révolte
    des jeunes.
du dynamisme écono-
    mique d'un pays.
de l'apathie générale.
du progrès technique.
de la désintégration
    de la famille.
de la violence
    et du crime.
de la qualité
    de la vie.
        ?

# D. ÊTRE JEUNE

*Être jeune, c'est aussi être plein de dynamisme, de joie de vivre, d'enthousiasme et de projets. Faites la liste des choses qui sont importantes pour vous dans chacune des catégories suivantes. Après avoir établi votre liste, vous pouvez discuter vos réponses avec d'autres étudiants.*

1. Ce que vous aimez faire pendant votre temps libre :
2. Ce qui vous amuse :
3. Les projets que vous désirez accomplir pendant votre vie :
4. Les valeurs morales qui sont importantes pour vous :
5. Les choses matérielles qui sont importantes pour vous :
6. Ce que vous aimeriez changer dans la société :

# E. ÇA DÉPEND DE . . .

*Choisissez la ou les options qui correspondent à vos convictions personnelles ou bien créez une autre réponse. Si vous voulez, vous pouvez discuter vos choix avec d'autres étudiants.*

1. L'avenir d'un pays dépend . . .

    a. de ses ressources naturelles
    b. de ses leaders politiques
    c. de son système de gouvernement
    d. de sa force militaire
    e. ?

2. L'élection du Président des États-Unis dépend . . .

    a. de la personnalité du candidat
    b. de son parti politique
    c. de l'influence de la presse et de la télévision
    d. des qualités morales et intellectuelles du candidat
    e. ?

3. Le rôle des États-Unis dans le monde dépend . . .

       a. des agences clandestines, comme la C.I.A.
       b. du ministre des Affaires étrangères
       c. du Congrès des États-Unis
       d. de l'Armée
       e. ?

4. La paix dans le monde dépend . . .

       a. du bloc communiste
       b. du Président des États-Unis
       c. des Nations-Unies
       d. de la coopération de chaque nation
       e. ?

5. La solution au problème de la pollution dépend . . .

       a. de chaque individu
       b. des syndicats ouvriers
       c. des législateurs
       d. des industries
       e. ?

6. Le bonheur dans la vie dépend . . .

       a. de l'argent
       b. de vos amis
       c. de votre attitude envers la vie
       d. de la santé
       e. ?

7. Le succès dans la vie dépend . . .

       a. de votre ambition
       b. des circonstances
       c. de vos capacités intellectuelles
       d. de votre personnalité
       e. ?

8. Le succès d'un cours dépend . . .

   a. de la motivation des étudiants
   b. de la difficulté de la matière
   c. des textes et matériaux utilisés
   d. de la personnalité du professeur
   e. ?

9. Le succès dans l'étude d'une langue étrangère dépend . . .

   a. de votre persévérance
   b. d'une aptitude naturelle pour les langues
   c. du talent et de la personnalité du professeur
   d. de la méthode employée
   e. ?

# F. VIVENT LES DIFFÉRENCES !

1. On dit souvent que la jeunesse est la meilleure période de la vie. Qu'en pensez-vous ?
2. Il existe souvent entre les jeunes et les adultes un certain manque de communication. Que peuvent faire les jeunes pour combattre le « fossé entre les générations » ? Que peuvent faire les adultes ?
3. Qu'est-ce que les jeunes ont à contribuer à la vie de la société ?
4. Faites une description de la jeunesse américaine. Quelles sont ses qualités, ses défauts, ses habitudes, etc. ?
5. À quel âge n'est-on plus jeune ?

LE FOSSÉ DES GÉNÉRATIONS . . . ?

# 4

# Les Français et les animaux

    Même la Grande-Bretagne où la passion des animaux est une institution aussi établie que le « five o'clock tea » est battue. La France se place maintenant à la première place en Europe pour le nombre
5  d'animaux domestiques par habitant.

    Le phénomène français est intéressant à analyser car, par tradition, les peuples latins sont contre les animaux familiers.° Le « boom animalier » actuel semble correspondre à l'augmentation du niveau de
10  vie.° Autrefois, c'étaient surtout les gens riches qui possédaient des animaux de compagnie mais maintenant 21% des chiens et des chats vivent dans des maisons d'ouvriers. Autre signe de cette démocratisation : on commence à acheter les animaux à crédit, comme
15  on achète un réfrigérateur.

*pets*

*standard of living*

26

Selon le docteur vétérinaire Pierre Rousselet, « Cette vogue est en partie due au cinéma et à la télévision qui ont popularisé les animaux. » L'écrivain Roby, auteur de nombreux livres sur les animaux, attri-
5 bue cette vogue au fait que les habitants des villes ne peuvent pas rester plus de trois ans sans avoir quelque contact avec des animaux familiers. C'est là sans doute une des raisons profondes du phénomène : plus l'homme est loin de la nature, plus il a besoin de
10 reprendre contact avec elle. Ce besoin est également visible dans la migration des week-ends vers la campagne. De plus, affirme le docteur Ange Condoret, l'animal familier a pour fonction de protéger les individus les plus fragiles contre l'indifférence de la société.
15 C'est pourquoi il est l'ami non seulement des personnes âgées et des solitaires, mais aussi des enfants.

« Quand je rentre de l'école avec mon chien Kouky, j'ai l'impression d'être à la campagne ou en vacances » dit Catherine, 7 ans. Les psychologues
20 sont d'accord. Ils pensent que la compagnie d'un animal est bonne pour les enfants et que c'est une excellente façon de les initier aux mystères de la vie.

À TABLE! LE DÎNER EST SERVI.

« L'aquarium est le plus beau jouet° éducatif du *toy*
monde, disait Konrad Lorenz. Il stimule la sensibilité
de l'enfant et lui donne le sens des responsabilités. »
Beaucoup de parents offrent maintenant des animaux
5 à leurs enfants comme récompense pour leurs bonnes
notes° ou comme cadeau de Noël. *grades*

Les conséquences de la popularité des animaux familiers sont multiples. La consommation d'aliments° *food*
pour animaux augmente de 25% par an depuis 5 ans
10 et supporte une industrie de 300 millions de francs.
Mais la multiplication des animaux pose aussi de sérieux problèmes de santé et de pollution. « Pour rentrer chez moi, je dois faire du slalom entre les sale-
tés »,° dit un architecte. Un autre problème est *mess*
15 l'abandon d'un grand nombre de chiens et de chats
chaque année pendant la saison des vacances. Les difficultés sont encore plus grandes quand il s'agit° *il est question*
d'animaux exotiques. Ces dernières victimes de la
mode peuvent rarement être domestiquées. « Nous
20 avons eu un lionceau° pendant six mois, dit l'actrice *lion cub*
Mylène Demongeot. C'était une expérience extraordinaire. Mais notre plaisir était égoïste.° Aujourd'hui le *selfish*
lion est dans un zoo. Il y est un peu moins malheureux
qu'avec nous ! »
25 Le marché des animaux exotiques est souvent scandaleux. La plupart des gens ignorent° que pour *ne savent pas*
chaque animal sauvage capturé, des dizaines d'autres
ont été massacrés ou sont morts pendant le transport.
« Il est plus raisonnable, dit François de la Grange,
30 producteur à la télévision d'émissions° sur les ani- *programmes*
maux, de se limiter aux chiens et aux chats. Mais il est
surtout impératif de prendre conscience de la place de
ces bêtes° dans notre société. » En effet, la situation *animaux*
de l'animal dans nos villes deviendra bientôt absurde.
35 L'homme est en train de se créer un animal « artificiel » dont l'unique habitat est le living room de nos
appartements.

Dans ces circonstances, il n'est pas étonnant° que *surprising*
beaucoup d'animaux familiers souffrent de phobies,
40 de névroses et de divers autres troubles. Les choses en

**28**

sont arrivées au point où une nouvelle branche de la médecine vétérinaire a été créée, la zoopsychiatrie. Son rôle est de traiter les chiens et les chats qui souffrent, eux aussi, des maladies de la civilisation urbaine.

Extrait et adapté d'un article de *l'Express* par Christiane Sacase

# ACTIVITÉS

## *A.* *COMPRÉHENSION DU TEXTE*

*Répondez aux questions suivantes selon les renseignements donnés dans le texte.*

1. Pourquoi est-il étonnant que les Français possèdent maintenant tant d'animaux domestiques ?
2. À quoi peut-on attribuer ce récent « boom animalier » ?
3. Pourquoi, selon Roby, la présence d'un animal domestique est-elle particulièrement importante pour les habitants des villes ?
4. Dans notre société, qui sont les individus les plus fragiles et pourquoi recherchent-ils la compagnie d'un animal familier ?
5. Pourquoi les animaux domestiques sont-ils bons pour les enfants ?
6. Quelles sont les conséquences économiques et écologiques de la popularité des animaux ?

7. Mylène Demongeot avait adopté un lionceau mais ce n'était pas une bonne idée. Pourquoi ?

8. Pourquoi le marché des animaux exotiques est-il souvent un scandale ?

9. Est-ce qu'il est bon pour un animal de passer sa vie dans un appartement ? Quelles peuvent en être les conséquences ?

10. Quelle nouvelle branche de la médecine vétérinaire vient d'être créée et pourquoi ?

## B. ÊTES-VOUS D'ACCORD ?

*Corrigez la phrase si vous n'êtes pas d'accord avec l'opinion exprimée.*

1. Tout le monde a le droit d'avoir un animal familier pour lui tenir compagnie.

2. Les animaux sont faits pour servir les humains.

3. Les animaux domestiques sont bien plus heureux que les animaux sauvages.

4. C'est normal qu'un chien ou un chat mange à table avec les gens.

5. C'est une bonne idée d'envoyer un animal chez le zoopsychiatre.

6. Les animaux devraient porter des vêtements pour se protéger contre le froid.

7. Tout le monde devrait refuser de porter des manteaux de fourrure.

8. Beaucoup de gens accordent plus d'importance au confort des animaux domestiques qu'au bien-être des humains.

9. Les chiens et les chats doivent être enterrés dans des cimetières spéciaux pour les animaux.

10. Les chiens devraient être interdits dans les parcs et les jardins publics.

11. Les gens qui essaient de domestiquer les animaux sauvages sont égoïstes et cruels.

12. Les animaux ont beaucoup de choses à nous apprendre.

# C. *VOUS ET LES ANIMAUX*

*Si vous pouviez être un des animaux suivants, lequel choisiriez-vous ?*
*Faites votre choix et consultez l'interprétation qui suit. Est-ce que cette*
*interprétation correspond à certains aspects de votre caractère ?*

le poisson

le chat

la gazelle

le chien

le singe

le cheval

le hibou

le putois

la souris

le lion

INTERPRÉTATION :

**Le chien :** Vous êtes fidèle et démonstratif dans vos affections. Vous avez besoin d'aimer et d'être aimé. Le confort et la sécurité sont plus importants pour vous que la liberté.

**Le chat :** Vous aimez le confort et la tranquillité mais vous savez garder votre indépendance en toutes circonstances. Vous êtes affectueux mais avec dignité et modération.

**Le singe :** Vous êtes très sociable. Vous aimez rire et faire rire et vous avez des talents de comédien. Vous adorez les bananes, n'est-ce pas ?

**La gazelle :** Vous aimez tout ce qui est gracieux et élégant ; vous détestez la monotonie de la vie quotidienne et toutes formes de servitude. Vous avez des goûts aristocratiques mais vous avez tendance à être un peu distant.

**Le poisson :** On vous accuse souvent d'être froid et distant mais en réalité vous êtes très sociable. Vous aimez la compagnie des autres mais à condition qu'ils gardent leurs distances. Vous êtes très attaché à vos habitudes et vous aimez le confort et la sécurité.

**Le hibou :** Vous êtes une créature de la nuit. Vous êtes très intellectuel et vous aimez passer de longues heures à réfléchir. Vous détestez le bruit et l'agitation futiles et vous avez tendance à être un peu réservé et solitaire.

**La souris :** Vous êtes la discrétion personnifiée et vous détestez être le centre d'attention. Vous êtes modeste et un peu timide. Vous n'êtes pas matérialiste et vous vous contentez de peu. Vous détestez les chats.

**Le cheval :** Votre caractère est fait de contrastes : vous êtes fier et indépendant mais vous aimez aider les autres. Vous aimez travailler en équipe mais vous avez également l'esprit de compétition.

**Le putois :** Sans interprétation

1. Y a-t-il d'autres raisons pour lesquelles vous avez choisi un animal particulier ? Quelles sont ces raisons ?

2. Si l'animal de votre choix ne figure pas sur la liste précédente, quel animal choisiriez-vous et pourquoi ?

3. Y a-t-il un animal que vous ne voudriez pas être ? Pourquoi ?

## D. *LES ANIMAUX ONT SOUVENT MAUVAISE RÉPUTATION*

*Utilisez les dictons qui suivent pour compléter une des activités suggérées :*

1. *Choisissez un dicton et préparez un petit dialogue qui se terminera par ce dicton et en illustrera le sens.*

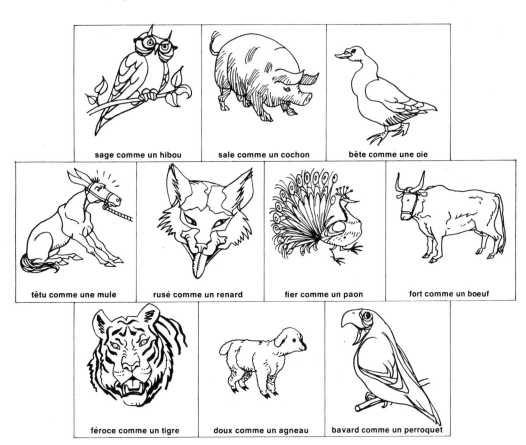

| | | |
|---|---|---|
| sage comme un hibou | sale comme un cochon | bête comme une oie |
| têtu comme une mule | rusé comme un renard | fier comme un paon | fort comme un boeuf |
| féroce comme un tigre | doux comme un agneau | bavard comme un perroquet |

2. *Écrivez un paragraphe décrivant différentes personnes que vous connaissez et utilisez autant de dictons que possible dans cette description.*

3. *Pouvez-vous trouver des dictons en anglais qui s'appliquent à des animaux ?*

# E. *VIVENT LES DIFFÉRENCES !*

1. Y a-t-il un animal auquel vous êtes particulièrement attaché(e) ?

2. Quel serait, pour vous, l'animal domestique idéal ?

3. Que peut-on faire pour protéger les animaux qui sont menacés d'extinction ?

4. La chasse : pour ou contre ?

5. Est-ce que les animaux parlent ?

6. Est-ce que nous avons le droit d'emprisonner les animaux sauvages dans des zoos ?

ET TOI, QU'EST-CE QUE TU PRENDS COMME BOISSON?

34

# 5

# Que font donc les femmes toute la journée?

On vient de faire une étude sur le travail des femmes européennes qui restent à la maison au lieu de travailler à l'extérieur. Cette étude a montré que le nombre d'heures de travail de ces femmes est large-
5 ment supérieur à celui des salariés.° Les résultats sont significatifs. En France une femme au foyer° qui a deux enfants travaille de 7,7 heures à 10 heures par jour. En comparaison, la femme allemande travaille encore plus, environ 11 heures par jour. Il faut encore
10 préciser que ce travail est d'une qualité sans égale. Il serait difficile de trouver une autre personne capable de le faire aussi bien que la femme qui s'occupe de son propre appartement ou de sa propre maison.

Ce travail colossal est très varié mais le plus extraor-
15 dinaire, c'est qu'il est entièrement gratuit.° Ces maî-tresses de maison ne reçoivent aucun salaire. Quand les maris calculent leurs dépenses° à la fin du mois, ils oublient complètement l'économie fabuleuse qu'ils ont réalisée avec une femme au foyer. Au cours d'un
20 procès relatif à la mort accidentelle d'une mère de fa-mille, une banque allemande a officiellement estimé la valeur économique de chaque femme au foyer à 1.900 marks, c'est-à-dire 3.325 francs par mois, ce qui est bien supérieur au salaire moyen des Français.

*wage earners*
à la maison

ne coûte rien

*expenses*

Les résultats de cette étude permettent de calculer l'économie qu'une maîtresse de maison française représente dans chaque budget. Quelles sont donc les responsabilités et les tâches° d'une femme au foyer ?    *tasks*

5 *Les enfants*

Il faut les lever, les aider à se laver, préparer leur petit déjeuner, les conduire à l'école, aller les chercher à midi, les écouter quand ils récitent leurs leçons, les aider à faire leurs devoirs, leur servir le dîner, les pré-
10 parer pour la nuit et *enfin* les mettre au lit : **150 heures par mois à 5,60 F de l'heure = 840 F**

*Les devoirs à la maison*

Si la mère de famille n'a pas oublié le latin, si elle sait une langue moderne, si elle connaît les maths mo-
15 dernes, elle économisera à la famille les leçons particu-lières° pour les enfants : **8 heures par mois à 30 F de l'heure = 240 F**    *privées*

*La cuisine*

    Même si elle a la chance de posséder tout le confort moderne — machine à laver la vaisselle,° réfrigérateur, cuisinière° électrique, etc. — la préparation de
5 chaque repas demande au moins une heure sans compter le temps de faire les courses !° **60 heures par mois à 15 F de l'heure = 900 F**

*Le ménage°*

    La plupart des femmes ont maintenant une ma-
10 chine à laver et un aspirateur° qui leur facilitent le travail. Même avec ces machines il faut du temps pour nettoyer la maison et la remettre en ordre après le départ de tous les membres de la famille : **2 heures par jour ou 60 heures par mois à 8 F de l'heure = 480 F**

15 *Les gros travaux*

    C'est-à-dire le nettoyage des fenêtres, des murs, des planchers° et les autres travaux de ce genre demandent non seulement du temps mais aussi un gros effort : **8 heures par mois à 20 F de l'heure = 160 F**

20 *Le repassage°*

    La maîtresse de maison doit repasser non seulement ses propres vêtements mais aussi ceux de son mari et de ses enfants : **18 heures par mois à 10 F de l'heure = 180 F**

25 *Le lavage°*

    Chaque mois elle lave au moins 30 chemises à 3 F chacune et 26 kilos de linge° de maison à 3,50 F le kilo. **Cela fait un total de 181 F par mois.**

*La vie sociale*

30     La plupart des familles invitent à dîner une fois par mois. Si la maîtresse de maison sert à table, cela économise le prix d'une domestique. **La valeur de ce travail est estimée à 148 F par mois.**

dishwasher

stove

shopping

housework

vacuum cleaner

floors

ironing

washing

clothes and linen

*Le secrétariat de la maison*

Dans une famille française sur trois, c'est la femme qui s'occupe du budget familial, des chèques à écrire, des impôts° à payer, etc. **Cela prend plus de 2 heures**     *taxes*
5 **par semaine ou 10 heures par mois à 20 F de l'heure = 200 F**

*Travaux divers*

C'est elle qui fixe un tableau par ici, qui peint une chaise par là, etc. **6 heures par mois à 25 F de**
10 **l'heure = 150 F**

Combien de temps de repos reste-t-il à la maîtresse de maison ? Après les heures consacrées aux enfants, au ménage, au mari et au sommeil difficilement gagné, il lui reste environ 2 heures par jour pour lire,
15 pour se reposer ou simplement pour ne rien faire.

Il suffit d'ajouter que la plupart des maris français ne pourraient pas payer leur femme !

Extrait et adapté d'un article de *Paris Match*

NOTES CULTURELLES     En France on trouve des pièces de monnaie de 1, 5, 10, 20 et 50 centimes aussi bien que des pièces d'un demi-franc, un franc, cinq francs et dix francs.

Les billets de banque sont de couleurs et de dimensions différentes. Sur ces billets, on trouve le portrait d'écrivains (Victor Hugo), de philosophes (Voltaire), de savants (Pasteur) et de personnages politiques (Louis XIV et Napoléon).

La Suisse, la Belgique et le Luxembourg ont aussi leurs francs mais ils ont tous une valeur différente.

# ACTIVITÉS

## A. COMPRÉHENSION DU TEXTE ET RÉACTIONS

*Répondez aux questions suivantes selon les renseignements donnés dans le texte et selon vos convictions personnelles.*

1. En France, une femme qui reste à la maison travaille environ 9 heures par jour. Est-ce que la femme américaine travaille plus ou moins que la femme française ?

2. Est-ce que les responsabilités d'une femme américaine sont les mêmes que celles d'une femme française ?

3. Faudrait-il payer les maîtresses de maison ? Justifiez votre réponse.

4. Si on donnait un salaire à la femme au foyer, est-ce que cela changerait beaucoup la vie conjugale ?

5. Êtes-vous d'accord avec toutes les responsabilités énumérées dans l'article ? Est-ce que l'auteur en exagère le nombre ? Pourriez-vous donner des exemples d'un travail qu'on n'a pas mentionné ?

6. MESSIEURS : Est-ce que votre femme aurait les mêmes responsabilités chez vous ? Quelles responsabilités prendriez-vous pour partager le travail plus équitablement ?

    MESDEMOISELLES : Vous marieriez-vous avec un homme qui vous demande de prendre toutes les responsabilités du ménage ? Qu'est-ce que votre mari devrait faire pour partager les responsabilités plus équitablement ?

7. Est-ce que la femme qui reste à la maison a certains avantages que l'auteur a oublié de mentionner ? Est-ce qu'il y a des désavantages ?

8. Combien d'heures le mari américain travaille-t-il à la maison en général ? Est-ce suffisant ?

9. Est-ce que la maîtresse de maison américaine vous semble plus libérée que la maîtresse de maison française ?

10. À votre avis, est-ce que c'est un homme ou une femme qui a écrit cet article ? Justifiez votre réponse.

# B. LES TÂCHES MÉNAGÈRES

*Seul(e) ou en groupe, étudiez cette liste de tâches qu'il faut faire dans une famille et répondez aux questions qui suivent.*

nettoyer les planchers
passer l'aspirateur
laver la vaisselle
faire les lits
laver le linge
repasser le linge
nettoyer les fenêtres
nettoyer la cuisinière
nettoyer la salle de bain

mettre la table
nettoyer le réfrigérateur
établir le budget
s'occuper du jardin
faire la cuisine
garder les enfants
faire les gros travaux
s'occuper de la voiture
?

1. Chez vous, qui a normalement la responsabilité de chacune de ces tâches ?

2. Quelle serait, à votre avis, la façon la plus juste de diviser ces tâches ?

3. Personnellement, quelles sont les tâches que vous aimez le moins ? Si vous voulez, comparez votre réponse à cette question avec celle d'un étudiant du sexe opposé. Imaginez que vous êtes marié(s). Comment allez-vous diviser les tâches et résoudre les conflits ?

## C. ÊTES-VOUS D'ACCORD ?

*Corrigez les phrases si elles ne s'appliquent pas à vous ou si vous n'êtes pas d'accord.*

1. Je fais mon lit tous les matins avant de quitter la maison.
2. Chez moi, je fais la vaisselle tous les jours.
3. J'aime mieux passer l'aspirateur que nettoyer la cuisine.
4. Je prépare toujours mon petit déjeuner moi-même.
5. J'invite mes amis à dîner chez moi aussi souvent que possible.
6. Si je n'ai pas envie de nettoyer ma chambre, je ne devrais pas être obligé(e) de le faire.
7. Dans une famille, c'est toujours le père qui doit établir le budget.
8. Les membres d'une famille devraient partager également les responsabilités du ménage.
9. Dans une famille, c'est la personne qui se lève la première qui devrait préparer le petit déjeuner pour tout le monde.
10. Tous les membres de la famille devraient être présents pour le dîner.

## D. DÉCISIONS

*Mettez-vous en groupes de trois ou quatre et décidez qui dans votre groupe sera responsable de chaque tâche. Discutez et défendez vos intérêts mais soyez juste envers les autres.*

*Lundi*

lavage de la voiture
aller à la banque pour toucher un chèque
nettoyer la salle de séjour et la cuisine
nettoyer la salle de bain

*Mardi*

aller chercher les amis qui vont arriver à l'aéroport à 7 h 30
réparer la télévision qui ne marche pas bien
emmener le chien chez le vétérinaire
laver et repasser le linge

*Mercredi*

réparer la voiture qui ne marche pas
faire la visite de la ville avec vos invités
téléphoner à quinze amis pour les inviter à votre surprise-partie
    du vendredi soir
préparer le menu pour un dîner spécial que vous allez donner
    jeudi soir

*Jeudi*

aller au marché acheter des provisions pour le dîner
emmener la voiture au garage parce qu'elle ne marche tou-
    jours pas
faire la cuisine et servir le dîner
faire la vaisselle après le dîner

*Vendredi*

aller faire les courses
préparer les décorations pour la surprise-partie
préparer les hors d'œuvre et le punch
reconduire les amis à l'aéroport à minuit

# *E. CHARADES*

*Pouvez-vous deviner le nom de l'objet ou de l'action qui est décrit dans chacune des charades suivantes ? Essayez de créer vous-même d'autres charades sur le même modèle.*

1. Mon premier est un adjectif possessif féminin.                    *ma*
   Mon deuxième est un pays d'Orient.                          _____
   Mon tout peut servir à laver le linge.                      _____

2. Mon premier est le contraire de propre. _____
   Mon second est un nombre. _____
   Pour être propre, il faut prendre mon troisième. _____
   Mon tout est la pièce où on se lave. _____

3. Mon premier est la 1ère personne du verbe *aller*. _____
   Il y a beaucoup de mon deuxième dans l'eau de la mer. _____
   Mon tout est ce qu'il faut laver après avoir mangé. _____

4. Mon premier est un nombre. _____
   Mon deuxième est ce qu'on fait avec les yeux. _____
   Mon tout est ce que les étudiants doivent faire chaque
     soir. _____

5. Mon premier est un pronom réfléchi. _____
   Mon deuxième est un article défini féminin. _____
   Mon troisième est la première personne du verbe *aller*. _____
   Mon tout est une action qu'on fait tous les jours. _____

# F. VIVENT LES DIFFÉRENCES !

1. Êtes-vous pour ou contre le travail de l'homme à la maison ?
2. Les rôles de la femme et de l'homme sont-ils interchangeables ?
3. Êtes-vous pour ou contre la libération de la femme ?
4. La galanterie existe-t-elle toujours ?
5. Y a-t-il des métiers ou des professions exclusivement masculins
   ou féminins ?

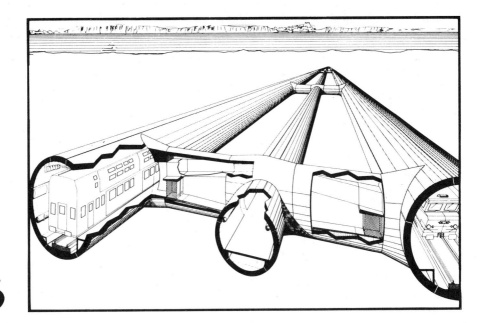

# 6

# *Le Tunnel sous la Manche*

La Grande-Bretagne est une île et, de toute évidence, elle a l'intention de le rester. Depuis plus d'un siècle, on parle de la construction d'un tunnel entre la France et l'Angleterre. Des projets et des plans précis ont été établis en 1856, 1870, 1881, 5 1907, 1930 et finalement en 1973. La construction a même été commencée plusieurs fois, mais chaque fois elle a été abandonnée. En 1975, après avoir dépensé 70 millions de dollars pour les travaux préliminaires — y compris° un tunnel experimental de 320 mètres — la Grande-Bretagne a encore une fois changé 10 d'avis.

      including

Selon les plans qui avaient été élaborés par les deux pays, le tunnel devait être ouvert au public en 1980. Les Français voyaient déjà ce projet comme une réalité ; le passage suivant, extrait d'un article de **Paris Match** montre bien l'optimisme des 15 Français de cette époque.

Le tracé° est déjà établi de façon presque définitive. Entre Calais et Douvres, la Manche n'est pas très
large et le tunnel aura seulement 36 km réellement
sous la mer, plus 5 km sous terre du côté français et 11
5 km sous terre du côté anglais. La longueur totale du
tunnel sera donc de 52 km.

    Le tunnel se composera de trois galeries entourées
par des murs de béton.° La galerie du milieu, la plus
petite, sera construite la première et sera utilisée pour
10 la circulation des ouvriers et de l'équipement ; en
même temps, elle permettra la ventilation et le drai-
nage. Dans les deux autres galeries circuleront des
trains de 30 wagons qui transporteront des marchandi-
ses, des automobiles et des camions. Les automobilis-
15 tes pourront conduire leur voiture directement sur la
plate-forme des wagons. Ils resteront dans leur voiture
pendant toute la traversée du tunnel.

    Le nombre des trains qui circuleront dans le tunnel
variera entre un train toutes les 150 secondes pendant
20 les heures de pointe° et un train toutes les demi-heures ou même toutes les heures pendant la nuit. Le tunnel permettra de transporter une moyenne° de 4500
voitures à l'heure. On va aussi organiser un système
de trains à très grande vitesse qui permettra de faire
25 le voyage Paris-Londres en deux heures et quarante
minutes.

    *Hélas, pour le moment, il n'y aura pas de tunnel
sous la Manche. Les raisons pour l'abandon de ce projet sont nombreuses. D'une part,° la construction du
30 tunnel allait coûter 4,5 billions de dollars. D'autre part,
sur le plan politique, on n'était pas très sûr du rôle de
la Grande-Bretagne dans le Marché Commun. Mais les
Français pensent que les véritables raisons sont psychologiques et culturelles : les Anglais aiment leur iso-
35 lement et ils ne veulent pas faire partie du continent.*

    Extrait et adapté d'un article de *Paris Match* par L. Masurel

les plans

sorte de ciment

quand il y a beaucoup
  de circulation
*average*

*on the one hand*

LA TRAVERSÉE DE LA MANCHE EN HOVER CRAFT

# ACTIVITÉS

## A. *COMPRÉHENSION DU TEXTE*

*Répondez aux questions suivantes selon les renseignements donnés dans le texte.*

1. Depuis combien de temps parle-t-on de construire un tunnel sous la Manche ?

2. En quelle année l'Angleterre et la France ont-elles signé le dernier projet de construction d'un tunnel sous la Manche ?

3. Selon ces projets, en quelle année le tunnel devait-il être terminé ?

4. Quelles étaient les caractéristiques du tunnel selon les plans de 1973 ?

5. Quel pays a décidé d'abandonner la construction du tunnel ? Pourquoi ?

6. Quelles sont les véritables raisons de cet abandon selon les Français ?

7. Est-ce que les auteurs de cet article vous paraissent en faveur de la construction du tunnel ou opposés à ce projet ?

## B. *UN TUNNEL SOUS LE DÉTROIT DE BÉRING*

*Le détroit de Béring qui mesure seulement 82 kilomètres est presque aussi étroit que la Manche (36 kilomètres) et il serait sans doute techniquement possible de construire un tunnel ou un pont entre l'Alaska et la Sibérie. Dans ce cas, pourquoi est-ce que personne n'a jamais proposé sérieusement de construire un tunnel sous le détroit de Béring ? Regardez la liste suivante et identifiez les objections qui vous paraissent les plus raisonnables.*

_____ 1. Ça coûterait trop cher.

_____ 2. Les problèmes techniques seraient insurmontables.

_____ 3. Ce serait un danger pour la navigation maritime.

_____ 4. Il y aurait de trop grands dangers de tremblements de terre.

_____ 5. Il faudrait également construire des autoroutes pour arriver au tunnel.

_____ 6. Le climat n'est pas favorable.

_____ 7. C'est trop loin de tous les centres industriels.

_____ 8. Ce tunnel limiterait les migrations de poissons et d'animaux sauvages.

_____ 9. Il n'y aurait plus de différence culturelle entre les États-Unis et la Russie.

_____ 10. Ce tunnel faciliterait l'invasion des États-Unis.

_____ 11. Le tourisme qui résulterait de ce projet serait un danger pour l'écologie de l'Alaska.

_____ 12. Il serait difficile de construire suffisamment de stations-service, hôpitaux et hôtels sur les autoroutes d'accès au tunnel.

_____ 13. ?

# C. *DÉCISIONS*

*Vous êtes membre du Conseil de la ville où vous habitez maintenant. Vous êtes appelé(e) à voter pour ou contre le financement de différents projets ou constructions. Avec les autres membres du Conseil (vos camarades de classe), analysez les problèmes particuliers de votre ville ; discutez les mérites des différents projets et choisissez les cinq projets qui vous semblent les plus importants.*

> construction d'une nouvelle prison
> construction d'un métro
> construction d'une route pour les bicyclettes
> construction d'un parc pour les enfants
> construction d'appartements à bon marché pour les vieux
> construction d'un terrain de camping
> construction d'un centre sportif
> construction d'un lycée technique
> construction d'un hôpital
> construction d'un théâtre de 2000 places
> construction d'un système de purification de l'eau
> construction d'un système pour mesurer le degré de pollution de l'air
> plantation d'arbres le long de toutes les rues
> création d'un centre de réhabilitation pour les victimes de la drogue
> rénovation du centre de la ville
> construction de nouvelles autoroutes
> ?

# D. *TOUS LES COMBIEN ?*

*Complétez les phrases suivantes d'après votre expérience personnelle. Pour exprimer la fréquence de différentes activités ou événements, vous pouvez utiliser des expressions comme « tous les jours », « toutes les demi-heures » ou bien « une fois par jour », « trois fois par mois » ou bien encore « ne . . . jamais ».*

1. Je vois mes amis . . .
2. Je vais au cinéma . . .
3. Je lis le journal . . .
4. Nous avons un cours de français . . .
5. Nous avons un examen . . .
6. Je regarde la télévision . . .
7. Je vais au restaurant . . .
8. Je sors avec mes amis . . .
9. Je vais à l'église . . .
10. Nous avons des vacances . . .
11. Je fais de la gymnastique . . .
12. Nous avons des invités . . .
13. Dans ma ville, il pleut . . .
14. Aux États-Unis, il y a des élections présidentielles . . .
15. Les Jeux Olympiques ont lieu . . .
16. ?

## E. VIVENT LES DIFFÉRENCES !

1. À votre avis, quels seraient les avantages d'un tunnel entre la France et l'Angleterre ? Quels seraient ses inconvénients ?
2. Les projets de coopération entre les nations ont-ils tendance à diminuer les conflits internationaux ?
3. Vaut-il mieux dépenser l'argent d'une nation pour des projets tels que le Tunnel ou les explorations spatiales ou bien pour des projets sociaux et humanitaires ?

LE PALAIS DE L'ELYSÉE ET
LE PRÉSIDENT VALÉRY GISCARD D'ESTAING

# 7

# *Je suis le prof d'anglais du Président*

Un jour d'avril le téléphone a sonné dans mon appartement.

— Allô.

— Allô, mister Lorriman ?

5 — Lui-même.

— Un instant, s'il vous plaît, je vous passe M. Giscard d'Estaing.

Tout de suite, j'ai reconnu la voix du Président. Il m'a demandé si je pouvais lui rendre un service, 10 l'aider à perfectionner son anglais. J'ai accepté, bien sûr. Quelques jours plus tard, je suis allé au Palais de l'Élysée.° J'avais très peur d'arriver en retard ; c'est pour cela que j'ai pris le métro plutôt que ma voiture.

La grande question pour moi était de savoir s'il

la résidence du Président de la République

était « beginner » (débutant). J'avais apporté un petit manuel pour débutants *First things first* (l'anglais par le commencement). Mais quand je suis entré dans son bureau, j'ai tout de suite remarqué qu'il parlait déjà
5 correctement l'anglais.

Le Président désirait que toutes nos conversations soient° en anglais. Il m'a dit que beaucoup de ses collègues parlaient anglais avec un très mauvais accent, et il ne voulait pas être comme eux. Je lui ai
10 proposé d'appliquer une nouvelle méthode qui compare les structures de la langue française et de la langue anglaise. Il a aimé cette idée et il a décidé que, deux fois par semaine, nous aurions une leçon. Il m'a demandé de lire les articles publiés au moment de son
15 élection à la présidence. Nous avons décidé de lire *Time, Newsweek,* le *New York Times* et d'autres journaux de langue anglaise.

Ce qui m'a le plus impressionné, c'est qu'il utilisait toujours les formules de politesse anglaise, par exem-
20 ple : « If it is convenient for you . . . » (si cela vous convient). « Please do sit down (asseyez-vous, s'il vous plaît). Mais il faisait toujours la même erreur : au lieu de me dire « How are you? » (comment allez-vous ?) quand j'arrivais, il disait toujours « How do
25 you do? » (enchanté). Apparemment il ne savait pas que cette formule de politesse est employée seulement quand on vous présente quelqu'un pour la première fois.

Le Président avait une certaine compétence mais il
30 manquait de confiance en lui. J'ai apporté un magnéto-phone° pour enregistrer sa prononciation, et, ensuite, j'ai corrigé ses fautes d'accent. Comme cela, j'ai bientôt découvert quelles étaient ses difficultés. Il y avait les « th » qu'il prononçait souvent « z » : chez lui c'est
35 un problème de dents.°

Il avait aussi beaucoup de difficulté à prononcer les « r » britanniques. Pour lui, c'est un problème de gorge.° Il les prononce toujours d'une façon guttu-rale. Aujourd'hui encore, il ne réussit pas à dire « se-
40 veral », « liberal » et « general ».

subjonctif du verbe être

*tape recorder*

*teeth*

*throat*

52

Une de ses difficultés réside dans le rythme de sa phrase. Même en français, le Président a une manière très personnelle de structurer ses phrases. Eh bien, en anglais, il conserve cette habitude. Il y a plusieurs
5 mots qu'il ne prononce pas bien pour les mêmes raisons : par exemple « development » qu'il a tendance à dire comme *dé*velopment en insistant sur le « de ».

Mais le mot qui lui donne la plus grande difficulté est « European » que les Anglais disent « yieru-
10 peian » et que le Président prononce « yeuropéan ».

De temps en temps, je lui donne du « homework » (devoirs) à faire à la maison ; mais il a rarement le temps de le faire. Il arrive même° qu'il « cuts classes »    *it even happens* (sèche les cours) à cause de ses obligations officielles.
15 Heureusement, le Président a une excellente oreille°    *ear* et ses conversations avec les représentants des pays anglo-saxons lui offrent une excellente occasion de pratiquer son anglais. Ses progrès sont considérables.

Extrait et adapté d'un article de *Paris Match* par Garofalo

RÉPÉTEZ ENCORE UNE FOIS . . . « SEVERAL » . . . « GENERAL »

# ACTIVITÉS

## A. COMPRÉHENSION DU TEXTE

*Choisissez la phrase qui est correcte d'après le texte.*

1. a. Le professeur est allé rue de Rivoli pour savoir si le Président désirait apprendre une deuxième langue moderne.
   b. Un jour de printemps, M. Lorriman a été surpris de voir la limousine présidentielle s'arrêter devant sa porte.
   c. Le Président a téléphoné à M. Lorriman pour lui demander de lui donner des leçons d'anglais.

2. a. Tous les collègues du Président parlaient déjà parfaitement l'anglais.
   b. Les collègues de Giscard d'Estaing avaient tous un accent quand ils parlaient anglais.
   c. Les ministres du Président faisaient beaucoup de fautes de grammaire en anglais.

3. a. Au commencement, toutes les conversations entre le Président et le professeur étaient en français.
   b. M. Giscard d'Estaing insistait pour que toutes leurs conversations soient en anglais.
   c. Le Président voulait simplement apprendre à lire l'anglais.

4. a. M. Lorriman venait tous les jours à deux heures de l'après-midi.
   b. Le Président ne suivait qu'une heure de leçon par mois.
   c. En tout, le Président avait une heure et demie de leçon d'anglais par semaine.

5. a. Le Président avait beaucoup de difficulté à prononcer les voyelles anglaises.
   b. Ce sont les « r » anglais qui lui donnaient le plus de difficulté.
   c. Le Président avait un accent impeccable mais il manquait de confiance en lui.

6. a. Pour enrichir le vocabulaire de son étudiant, M. Lorriman lui faisait apprendre de longues listes de vocabulaire.

   b. Chaque soir M. Giscard d'Estaing écoutait des programmes de radio venant de Londres et de Washington.

   c. M. Lorriman a apporté un magnétophone pour corriger les fautes d'accent du Président.

7. a. Le Président a dû abandonner ses leçons parce qu'il manquait de temps.

   b. Le Président a fait de grands progrès en anglais.

   c. La Reine d'Angleterre venait fréquemment au Palais de l'Élysée pour parler anglais avec le Président.

8. a. Le Président n'a jamais de devoirs à faire à la maison.

   b. Le Président fait ses devoirs tous les jours, excepté quand il donne une conférence de presse.

   c. Quelquefois le Président sèche les cours à cause de ses obligations officielles.


# B. ÊTES-VOUS D'ACCORD ?

*Corrigez la phrase si vous n'êtes pas d'accord avec l'opinion exprimée.*

1. Le Président des États-Unis devrait parler au moins une langue étrangère.

2. J'admire les gens qui savent parler plusieurs langues étrangères.

3. On a besoin d'un talent spécial pour apprendre à bien parler une langue étrangère.

4. La meilleure façon d'apprendre une langue est de vivre dans un pays où on la parle.

5. Les Américains n'accordent pas assez d'importance aux langues étrangères.

6. Il est plus facile d'apprendre une langue étrangère quand on est très jeune.

7. Tout le monde devrait être obligé d'apprendre une langue étrangère.

8. J'aimerais bien avoir l'occasion de vivre dans un pays étranger.

9. Il y aurait moins de conflits entre les nations si tout le monde parlait la même langue.

10. La connaissance du français aide à mieux comprendre et apprécier l'anglais.

11. Les Américains n'ont pas beaucoup de patience avec les étrangers qui ne parlent pas bien leur langue.

12. L'étude d'une langue étrangère demande trop de temps et trop d'effort.

## C. *OPINIONS SUR L'ÉDUCATION*

*Nous avons tous une idée différente de ce qui est important dans un système d'éducation. Utilisez le continuum suivant pour indiquer le degré d'importance que vous accordez à chacune de ces caractéristiques.*

| 1 | 2 | 3 | 4 |
|---|---|---|---|
| sans importance | peu d'importance | grande importance | très grande importance |

_____ 1. avoir des professeurs très compétents

_____ 2. avoir un emploi du temps flexible

_____ 3. avoir la possibilité de participer à la direction de l'institution que vous fréquentez

_____ 4. être encouragé(e) par les autres dans vos études

_____ 5. avoir la liberté d'assister ou non aux cours

_____ 6. savoir à l'avance quels sont les objectifs des cours que vous suivez

_____ 7. avoir la possibilité de vous spécialiser dans un domaine particulier

_____ 8. avoir la possibilité d'exprimer librement vos opinions

_____ 9. étudier dans un milieu amical et favorable au développement de l'individu

_____ 10. avoir la possibilité d'utiliser au maximum vos capacités

_____ 11. avoir la possibilité d'évaluer les cours, les professeurs et l'institution que vous fréquentez

_____ 12. avoir la possibilité de participer à des activités sportives ou culturelles

_____ 13. avoir une grande liberté dans le choix de vos cours

_____ 14. ?

# D. SI VOUS ÉTIEZ LE PROFESSEUR . . .

_Que feriez-vous si vous étiez professeur de français ? Complétez les phrases suivantes._

EXEMPLE : Si mes élèves s'intéressaient à la musique, j'apporterais des disques de chansons françaises.

1. Si mes élèves n'écoutaient pas en classe, je . . .

2. Si certains élèves faisaient le clown en classe, je . . .

3. Si mes élèves ne faisaient pas leurs devoirs, je . . .

4. Si quelques élèves séchaient les cours, je . . .

5. Si mes élèves manquaient de confiance en eux, je . . .

6. Si mes élèves avaient peur de parler français, je . . .

7. Si mes élèves faisaient beaucoup de fautes de prononciation, je . . .

8. Si certains élèves s'intéressaient particulièrement à la culture française, je . . .

9. Si mes élèves disaient que je parle trop vite, je . . .

10. Si le directeur venait observer ma classe, je . . .

11. Si . . . ?

# E. QUESTIONS / INTERVIEW

*Répondez aux questions suivantes ou utilisez-les pour interviewer un(e) autre étudiant(e).*

1. Quel programme d'études avez-vous choisi et pourquoi ?
2. Quels cours suivez-vous en ce moment ?
3. Est-ce que vous avez beaucoup de liberté dans le choix de vos cours ?
4. À votre avis, y a-t-il trop ou pas assez de cours obligatoires ?
5. Quel est le cours le plus difficile que vous suivez en ce moment ? Et le plus facile ?
6. Quel cours vous intéresse le plus ? Pourquoi ?
7. Quel est votre professeur préféré ? Pourquoi ?
8. Est-ce que vous êtes safisfait(e) de votre programme d'études ?
9. Est-ce que vos études vous préparent suffisamment à la carrière que vous avez choisie ?
10. Qu'est ce que vous allez étudier l'année prochaine ?
11. ?

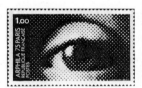

# F. LETTRE D'UN CORRESPONDANT FRANÇAIS

*Vous avez peut-être de la difficulté à vous exprimer en français mais les Français ont autant de difficulté quand ils essaient de parler anglais. Beaucoup de fautes viennent du fait que nous traduisons plus ou moins littéralement les structures de notre langue maternelle. C'est sans doute le cas de Norbert. Examinez la lettre qui suit et soulignez les erreurs. Pouvez-vous les expliquer ?*

Nantes the 23 february

Dear Vicky,

Your first letter is arrived there is three days and I am very glad to have an english corres- pondante. I liked much your letter and I have understand almost all. Your french is very good. Since when do you study french? I study english only since a year and half and I have need of much corrections. Shall you help me?

My femily and me, we live in a big town. We dwell in an appartement which gives on the park. I have a sister older. She has twenty years. My scool is only at 500 metres and I go to it on feet. This year, I am in seconde and I study the mathematiques, the geography and history, the english and the french. I am very occupied. My course favorite is the geometry. Our professor is very gentle. She has the eyes blue. All the boys are amorous of her.

I must quit you now; my mother calls me in order to help her do the dinner. I wait with impatience to receeve some of your news.

Amicalement,

Norbert.

59

# G. *VIVENT LES DIFFÉRENCES !*

1. Quelles sont les qualités d'un professeur idéal ?
2. Décrivez l'étudiant idéal.
3. À votre avis, comment seront les écoles et les universités de demain ?
4. Si vous étiez directeur de votre école ou président de votre université, quels changements aimeriez-vous faire et pourquoi ?
5. Quelle est, à votre avis, la valeur de l'étude d'une langue étrangère ?

# 8

# *Le Premier Travail*

*« Depuis un an, je cherche du travail. Chaque jour je lis les petites annonces. Je me suis présentée dans plus de vingt entreprises. J'ai écrit des dizaines de lettres. Sans succès . . . je n'ai rien trouvé. Je suis trop jeune, me dit-on ; je n'ai pas assez d'expérience. Pourtant, je voudrais tant travailler, être indépendante. »*

Après avoir cherché en vain pendant un an, Dominique Larue, jeune dactylo° de Nantes, a fini par accepter un emploi comme ouvrière dans une usine° d'appareils électriques. C'est un travail pénible° et
5 sans rapport avec sa formation professionnelle.

*typist*
*factory*
fatigant

Le cas de Dominique n'est pas unique. Chaque année, plus de 500 000 jeunes prennent leur premier emploi. Parmi eux, 200 000 n'ont aucune qualification professionnelle. Ils acceptent souvent n'importe quelle
10 place pour quitter l'école, gagner de l'argent et être indépendants. Le choc est souvent brutal. Pour cette raison, le premier boulot° est rarement un emploi défi-nitif. Il faut souvent faire plusieurs essais avant de trouver un travail satisfaisant.

travail

Le travail est un trésor, apprend-on à l'école. « Drôle de trésor,° en effet », dit Emmanuel Seguin, jeune Lyonnais de 18 ans. « J'étais apprenti électricien mais en réalité mon patron m'utilisait comme manœu-
5 vre.° Alors, j'ai changé de place. Maintenant, je travaille chez un fleuriste et je gagne dix fois plus d'argent. Mais ce n'est pas ce que je veux. L'année prochaine, si tout va bien, j'irai dans un centre de formation professionnelle des adultes. Là, j'apprendrai
10 un métier. Un vrai. »

Sophie Hernandez est secrétaire. Son travail est mal payé et sans intérêt. « À l'école, je croyais que je ferais un travail varié, sous l'autorité directe du patron. En réalité, je suis devant ma machine à écrire de
15 9 heures à midi et de 2 heures à 6 heures, et je tape toute la journée des documents ennuyeux. Je n'ai qu'un désir : entrer dans l'Administration. »°

L'Administration : mot magique. Pour de nombreux jeunes, comme Jean-Luc Bresson, employé de
20 bureau, c'est l'assurance d'un emploi stable et d'un salaire décent. En attendant de trouver un poste dans l'Administration, il travaille dans un magasin. Son travail ne lui plaît pas. « À l'école, quand on parlait en classe, on avait quatre heures de colle :° ici, on ne
25 parle pas parce qu'on n'a rien à se dire. Au lycée, on s'amusait bien . . . mais ici, ce n'est pas la même chose ! J'ai abandonné mes études parce que je n'avais pas réussi à mon C.a.p.° d'aide comptable° . . . mais maintenant je commence à regretter sérieusement le
30 lycée. »

Il y a quand même des jeunes satisfaits de leur premier emploi. C'est le cas d'Alain Monnot, publiciste dans une maison d'édition.°

« J'ai pris la bonne décision au bon moment, ex-
35 plique-t-il. J'avais presque fini ma licence de lettres° à l'Université de Strasbourg mais je n'avais plus envie d'être professeur. J'ai alors décidé de faire de la publicité. Je n'ai qu'un seul regret, c'est d'avoir perdu trois ans en faculté de lettres.° Au lieu d'imposer une heure
40 et demie d'instruction civique par semaine dans les

*"Some kind of treasure!"*

*laborer*

*government work*

*detention*

Certificat d'aptitude
professionnelle /
bookkeeper

*publishing house*

*University degree in
humanities*

*College of Humanities*

lycées, on ferait mieux de présenter les différentes professions aux futurs bacheliers.° Il n'y a pas suffisamment de liens° entre l'école et le monde du travail. »

*graduates*
*ties*

C'est pour répondre à ce problème et aux besoins
5 des jeunes comme Dominique, Emmanuel, Sophie,
Jean-Luc et Alain que le gouvernement a créé l'Agence
nationale pour l'emploi. Son rôle est d'aider les jeunes
à trouver un emploi en rapport avec leur formation et
leurs aptitudes. Peut-être cette agence rendra-t-elle le
10 choc du premier contact avec le monde du travail un
peu moins brutal pour les jeunes de demain . . .

Extrait et adapté d'un article de *l'Express* par Vincent Lalu

# ACTIVITÉS

## *A. COMPRÉHENSION DU TEXTE*

*À cause de la longueur de l'article, le reporter n'a pas pu inclure tous les
commentaires des 5 jeunes qu'il a interviewés. Voici quelques-uns de leurs
commentaires. À qui faut-il les attribuer ?*

1. « Mon travail comme ouvrière ne me plaît pas mais l'idée de
   recommencer à écrire des lettres et à regarder chaque jour les
   offres d'emploi dans le journal me rend malade. »

2. « Maintenant mon salaire est meilleur, c'est vrai, mais passer le reste de mes jours à m'occuper de fleurs . . . jamais de la vie ! »

3. « J'étais impatiente de commencer à travailler. Mais être devant une machine à écrire du matin au soir, ce n'est vraiment pas amusant. »

4. « C'est vrai que je m'ennuyais au lycée. Mais maintenant je commence à comprendre qu'après tout, le lycée, ce n'était pas si mal que ça. »

5. « Les années que j'ai passées à l'université étaient une vraie perte de temps. J'aurais mieux fait de commencer à travailler tout de suite. »

6. « Ce n'était pas juste. J'étais là pour apprendre un métier, mais en fait c'était moi qui faisais tous les travaux lourds et difficiles. »

7. « Un salaire ridicule, un emploi désagréable, un patron difficile — j'en ai assez ! Solution : aller dans une école technique où je pourrai enfin apprendre un vrai métier. »

8. « Dans un certain sens, le travail représentait pour moi une certaine indépendance. Mais un emploi désagréable dans une usine, c'est loin d'être mon rêve. »

9. « Je suis persuadé que le lycée devrait mieux préparer les jeunes au monde du travail. Si on m'avait parlé plus tôt des différentes possibilités, je n'aurais pas perdu mon temps à l'université. »

10. « Je suis peut-être une exception . . . Beaucoup de mes amis ne sont pas contents de leur travail, mais le mien est très intéressant. »

## B. *QUEL EST MON MÉTIER ?*

*Lisez la description et essayez d'identifier la profession ou le métier dont il est question.*

1. « On vient me voir deux ou trois fois par mois ou par semaine, selon le cas. Moi, je suis assis, eux, ils sont couchés. Ils parlent, j'écoute. Ils ont des problèmes, moi, je les aide à trouver des solutions. J'explore le passé pour expliquer le présent. On me confie les secrets les plus intimes et on peut être sûr que je ne les révélerai à personne. Je suis . . . »

   a. banquier    b. psychiatre    c. historien    d. journaliste

2. « Je passe la plus grande partie de ma vie sur l'eau. (Malheureusement, je ne sais pas nager. Mais ne le dites pas à mes hommes ; mon autorité en souffrirait.) Ce que je crains le plus, ce sont les tempêtes et le brouillard. Quand il y a du brouillard, j'ai toujours peur d'avoir une collision avec un autre bateau. Mais en tout cas, si un accident arrivait, c'est moi qui quitterais le bateau le dernier. Je suis . . . »

   a. nageur    b. laveur de vaisselle    c. capitaine de vaisseau
   d. marin

3. « Moi, je travaille suspendu entre ciel et terre. Mon travail peut être dangereux quand il fait du vent. Je travaille à l'extérieur mais de ma position, je peux voir ce qui se passe à l'intérieur — en toute innocence. Mes outils sont simples : de l'eau, du sa-

von, une éponge. Ma joie, c'est de mettre plus de lumière dans la vie des gens pour qui je travaille. Je suis . . . »

a. pilote d'avion    b. détective    c. parachutiste    d. laveur de fenêtres

4. « Vous n'êtes peut-être pas d'accord avec moi, mais moi, je pense que mon métier est très artistique. Même mes amis ne me reconnaissent pas quand je fais mon travail. J'adore les costumes aussi variés qu'extravagants, mais ils sont toujours trop grands ou trop petits. Mon métier est de faire rire, et les enfants m'adorent. On m'appelle Badaboum et je suis . . . »

a. mannequin        b. soldat        c. clown        d. dentiste

5. « Je suis un intellectuel mais j'ai toujours les mains sales. Ce que je cherche est caché sous la terre. Plus c'est vieux, plus cela a de valeur pour moi, mais il faut faire attention car c'est très fragile. Ces vieux morceaux de poterie ou de squelettes sont pour moi des trésors inestimables. Je m'intéresse à l'histoire des civilisations anciennes parce que je suis . . . »

a. photographe    b. archéologue    c. sociologue    d. architecte

6. « Moi, je vais être bref, je n'ai pas de temps à perdre. Vous croyez peut-être que mon travail est facile ou que ça coûte trop cher mais vous êtes quand même bien contents de venir me trouver quand votre 2 CV ne marche pas. Moteurs, carburateurs, radiateurs, boîtes de vitesse, transmissions ; toutes ces choses n'ont pas de secrets pour moi. Je suis . . . »

a. chauffeur de taxi  b. ingénieur  c. ouvrier dans une usine de fabrication d'automobiles  d. garagiste

7. « Mon métier est très important. Même dans leurs prières, les gens demandent à Dieu de leur accorder chaque jour leur ration du produit que je fabrique. On me trouve dans toutes les villes et pratiquement dans tous les petits villages de France parce que ce que je produis est essentiel pour les Français. On vient chez moi tous les jours. Il faut même que je travaille la nuit, car mes clients aiment acheter mon produit de bonne heure le matin et le manger frais avec le petit déjeuner ou avec n'importe quel autre repas. Je suis . . . »

   a. boulanger  b. fermier  c. marchand de journaux  d. boucher

8. « Je travaille quand je suis inspiré. Je n'ai pas de patron et je ne reçois pas de salaire. Je suis souvent pauvre mais cela fait partie de mon métier. On dit que j'ai la tête dans les nuages. C'est vrai que je rêve beaucoup mais je vois des choses qui sont invisibles aux autres. Les mots sont mes instruments ; je les aime ; je les fais danser, chanter . . . Je suis . . . »

   a. astrologue    b. professeur    c. homme politique    d. poète

## C. QUEL EST VOTRE MÉTIER ?

1. *Choisissez un métier et faites une description du métier ou de la profession que vous avez choisi. Présentez la description à d'autres étudiants qui essaieront de deviner le métier que vous avez choisi.*

2. *Choisissez un métier ou une profession. Vos camarades vous posent des questions pour deviner le métier ou la profession que vous avez choisi.*

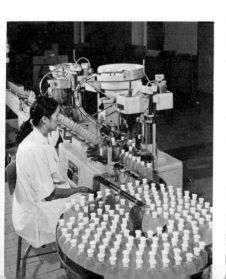

# D. PRIORITÉS

*Qu'est-ce qui est le plus important pour vous dans un métier ou une profession ? Regardez la liste suivante et mettez les différentes caractéristiques indiquées dans l'ordre d'importance qu'elles ont pour vous.*

_____ petit travail simple, tranquille et sans grande responsabilité

_____ travail intéressant

_____ très bon salaire

_____ sécurité

_____ liberté, indépendance, horaire flexible

_____ sentiment d'être utile aux autres

_____ respect et admiration des autres

_____ travail où il faut prendre beaucoup de responsabilités

_____ travail qui demande une certaine créativité

_____ possibilité de voyager

_____ possibilité de rencontrer beaucoup de gens

_____ possibilité d'avancement

_____ ?

# E. OFFRES D'EMPLOI POUR ÉTUDIANTS

*Voici des offres d'emploi destinées à des étudiants. Elles sont extraites d'un journal français. Remarquez les nombreuses abbréviations. En voici quelques exemples : pr. = pour ; trav. = travail ; ang. = anglais ; s'occ. = s'occuper ; sér. = sérieux ; énerg. = énergique ; sem. = semaine ; les me. = les mercredi ; mat. = matin ; vac. = vacances ; ap. = après.*

**Étudiant(e)** posséd. permis cond. pr. accomp. dâme âgée aller retour Paris Orléans les me. et sa. chaq. sem. juill. et août. tél. 426 26 29 mat.

**Étudiant(e)** parlant ang. pr réception, hôtel, trav. de nuit. Hôtel Terminus, 42 Rue de Vaugirard, Paris, 15e.

**Étudiant(e)** connais. espagnol pr aider mère fam. s'occ. enfs à la campagne et bord de mer, juil., sept., tél. OPE 1974.

**Étud.** sér. sachant cond. aimant livres pr. passer été en famil. Bretagne, écrire Mme Vignon, 104 Rue des Martyrs, Paris, 18e.

**Étudiant(e)** pour s'occ. 3 enfants, pendt. qq mois, Côte d'Azur, Mme Renilly, tél. PAS 22 15.

**Étudiant** sér. énerg. sportif, pr s'occuper groupe garçons 12 ans, colonie de vacançes Alpes, 3 sem. août. Écrire, Directeur, Centre Bel Air, 23 Av. du Mont Blanc, Chamonix.

*Choisissez le ou les emplois qui vous intéressent et présentez-vous pour une interview avec vos employeurs éventuels. D'autres étudiants pourront jouer le rôle des employeurs. Pour vous aider, voici des exemples de questions typiques de l'employeur et du candidat.*

QUESTIONS DE L'EMPLOYEUR

1. Quel âge avez-vous ?
2. Quelle est votre nationalité ?
3. Avez-vous déjà travaillé ? (Où ? Quand ? Dans quelles circonstances ?)
4. Avez-vous des références ?
5. Combien d'argent espérez-vous gagner ?
6. Aimez-vous les enfants ?
7. Est-ce que vous comprenez bien le français ?
8. Êtes-vous une personne sérieuse (conscientieuse, travailleuse, patiente, énergique, ambitieuse, etc.) ?
9. Est-ce que vous savez nager (faire la cuisine, faire le ménage, amuser les enfants, conduire, etc.) ?
10. Pourquoi voulez-vous ce travail ?
11. ?

QUESTIONS DU CANDIDAT

1. Quelles seront mes responsabilités ?
2. Quelles seront les heures de travail ?
3. Quel sera mon salaire ?
4. Combien d'heures libres est-ce que j'aurais par jour ?
5. Est-ce que je serais obligé(e) de travailler pendant le week-end (le soir, tous les jours, le matin, etc.) ?
6. Est-ce que je serais logé(e) et nourri(e) ?
7. Est-ce que vous avez d'autres employés ? Sont-ils sympathiques ?
8. Est-ce que je devrais parler anglais ou français avec les enfants ?
9. Est-ce qu'il y a des avantages ou des inconvénients particuliers dans cet emploi ?
10. À quelle date est-ce que je pourrais commencer à travailler ?
11. ?

## F. LETTRE DE DEMANDE D'EMPLOI

*Vous avez vu dans un journal un offre d'emploi qui vous intéresse et vous écrivez pour poser votre candidature. Vous avez ici le commencement et la fin d'une lettre de demande d'emploi. Maintenant c'est à vous de compléter le reste de la lettre.*

Votre nom et adresse       La date
Le nom et l'adresse
de votre correspondant(e)

Monsieur (Madame),

En réponse à l'annonce d'offre d'emploi que vous avez mise dans le journal de lundi, je voudrais me présenter comme candidat(e) . . .
. . . .
Veuillez agréer, Monsieur (Madame), mes salutations respectueuses.

Signature

## G. VIVENT LES DIFFÉRENCES !

1. Décrivez votre premier travail.
2. Quelle est la carrière que vous avez choisie et pourquoi ?
3. Quelle serait, pour vous, la profession idéale ?
4. Est-ce qu'un étudiant devrait travailler et étudier en même temps ?
5. Est-ce que le rôle des écoles est de préparer les jeunes à une carrière particulière ou de leur donner une formation générale ?

# 9

# La Colère

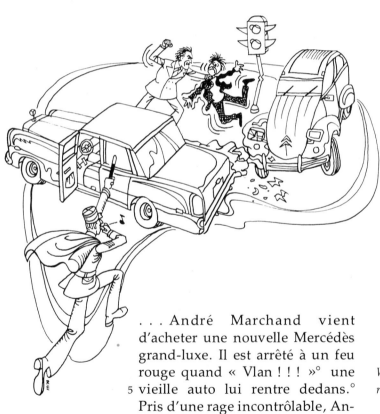

. . . André Marchand vient
d'acheter une nouvelle Mercédès
grand-luxe. Il est arrêté à un feu
rouge quand « Vlan ! ! ! »° une
5 vieille auto lui rentre dedans.°
Pris d'une rage incontrôlable, André tire l'autre chauffeur de sa
voiture et l'attaque brutalement.
L'affaire se termine au poste de
10 police.

*Wham!!!*
*runs into him*

. . . C'est le film de l'année. Marlène Janson fait patiemment la
queue° depuis une demi-heure.
Ce sera bientôt son tour. Un
5 jeune couple passe devant elle
sans même sembler la voir. Ça
alors ! Quel culot !° « Non, mais
dites donc, vous ! Vous ne pouvez pas faire la queue comme
10 tout le monde ! » leur crie-t-elle,
furieuse.

*has been standing in line*

*"What nerve!"*

. . . Daniel Dudevant, lui, vient
d'acheter une belle télévision en
couleur. L'image est magnifique.
15 Dans le magasin, oui . . . mais à
la maison, c'est autre chose. En
fait, c'est un vrai désastre. Il téléphone au vendeur qui invente
toutes sortes d'excuses et ne fait
20 rien pour l'aider. Indigné, Daniel
écrit au directeur de la compagnie. Sa lettre est vigoureuse,
riche en détails et ne laisse aucun
doute sur ses opinions, ni sur
25 ses intentions au cas où il n'ob-
tiendrait pas satisfaction.

. . . Paulette Lemaître vient de gagner son premier argent. Pour marquer l'occasion, elle a invité ses amis à dîner au restaurant. 5 Elle a choisi un restaurant agréable mais relativement modeste. Pourtant, quand le garçon lui apporte l'addition, elle découvre que le prix est deux fois plus élevé qu'elle ne pensait. Trop timide pour discuter avec le garçon et ne voulant pas perdre la face devant ses amis, elle paie l'addition sans rien dire. Mais intérieurement elle explose de rage et de frustration.

Colère extériorisée° et violente dans le cas d'André, colère bruyante° mais peu dangereuse de Marlène, colère froide et raisonnée de Daniel, colère 20 impuissante et refoulée° de Paulette — toutes ces réactions sont des expressions de la colère. Mais quels sont leurs effets sur l'individu et sur la société ?

La colère est un des instincts les plus naturels, nous disent les psychiatres. Elle commence avec la vie. 25 Le premier cri du nouveau-né est un cri de colère. Arrivé dans un monde où tout est indifférent, désagréable et hostile, le bébé se révolte et manifeste son indignation avec les seuls moyens° qu'il possède : ses cris. C'est une réaction saine° et naturelle.

30 Mais l'adulte, lui, sait-il encore exprimer sa colère ? Au lieu de se mettre en colère, il prend des tranquillisants et il souffre d'ulcères de l'estomac ! D'autres conséquences sont les nuits sans sommeil, les obsessions, l'irritabilité, l'excès de travail et la dépression 35 nerveuse.

*vented*
qui fait du bruit

*repressed*

*means*
*healthy*

73

En effet, la colère est une soupape de sûreté° et il
n'est pas bon de chercher à changer son cours normal
et naturel. Trop souvent cette colère instinctive et nor-
male est remplacée par la haine° et la violence qui
5 sont beaucoup plus dangereuses. La vraie colère fait
surtout du bruit ; elle fait rarement beaucoup de
mal. Comme dit le proverbe : un chien qui aboie ne
mord pas.°

Contrairement à la haine qui est toujours intériori-
10 sée et destructive, la colère et l'indignation sont des
sentiments qui poussent à l'action ; l'important est de
les diriger vers des buts° constructifs. En effet, beaucoup de grandes œuvres° et d'actions nobles et coura-
geuses ont été inspirées par la colère.

15 Positive ou négative, la colère est une des réalités
de la vie. C'est un sentiment qu'il faut comprendre,
parce qu'une des choses les plus importantes pour
l'équilibre mental est de savoir exprimer ses vraies
émotions. La colère ne fait pas exception. Alors
20 fâchez-vous°. . . mais avec modération !

safety valve

hate

A barking dog does not bite.

objectifs
works

mettez-vous en colère

Extrait et adapté d'un article de *Paris Match*
par Roger Chateauneu

LA COLÈRE ET L'INDIGNATION SONT
DES SENTIMENTS QUI POUSSENT À L'ACTION

# ACTIVITÉS

## A. COMPRÉHENSION DU TEXTE

*Répondez aux questions suivantes selon les renseignements donnés dans le texte.*

1. Qu'est-ce qui est arrivé à André Marchand quand il était arrêté au feu rouge ?
2. Comment a-t-il réagi ?
3. Pourquoi Marlène Janson était-elle si fâchée contre le couple qui est passé devant elle ?
4. Daniel Dudevant a acheté un téléviseur qui ne marche pas ; qu'a-t-il fait pour exprimer sa colère ?
5. Pourquoi Paulette Lemaître a-t-elle payé l'addition sans rien dire ?
6. Comment chacune de ces personnes exprime-t-elle sa colère ?
7. Pourquoi les premiers cris du nouveau-né sont-ils des cris de colère ?
8. Quelle est l'opinion des psychiatres en ce qui concerne la colère ?
9. Nous avons tendance à refouler notre colère. Quelles sont les conséquences possibles de ce refoulement ?
10. Selon les psychiatres, qu'est-ce qui est le plus dangereux, la colère ou la haine ?
11. Qu'est-ce qui est important pour l'équilibre mental d'un individu ?
12. Est-ce que la colère peut avoir des résultats positifs ? Pouvez-vous citer des exemples ?

## B. ÊTES-VOUS D'ACCORD ?

*Corrigez le sens de la phrase s'il est faux ou si vous n'êtes pas d'accord avec l'opinion exprimée.*

1. Dans les mêmes circonstances, la plupart des gens réagiraient comme André Marchand.

2. Marlène Janson exprime sa colère d'une façon bruyante mais peu dangereuse.

3. La réaction de Daniel Dudevant est tout à fait rationnelle.

4. Si Paulette Lemaître continue à refouler sa colère, elle risque d'avoir des ulcères de l'estomac.

5. Les gens qui se mettent en colère facilement ont tendance à souffrir d'insomnie et d'ulcères de l'estomac.

6. Le proverbe « Un chien qui aboie ne mord pas » signifie que les gens qui font beaucoup de bruit sont rarement très dangereux.

7. Il est bon d'exprimer sa colère mais il faut la maintenir dans des limites raisonnables.

8. La colère et l'indignation sont des sentiments qui n'ont aucune valeur positive.

9. Pour garder son équilibre mental, il est bon d'exprimer ouvertement ses émotions.

## C. « COLÉROMÈTRE »

*Est-ce que vous vous mettez facilement en colère ? Dans quelles circonstances ? Si vous voulez le savoir, faites ce test. Les situations qui suivent sont susceptibles de provoquer différents degrés de colère. Utilisez le « coléromètre » et indiquez (de 0 à 4) votre réaction à chacune de ces situations.*

_____ 1. Vous êtes arrêté(e) à un feu rouge. Une autre voiture vous rentre dedans.

_____ 2. Vous êtes en train d'expliquer quelque chose d'important et quelqu'un vous interrompt continuellement.

_____ 3. Vous avez un travail urgent à terminer et le téléphone n'arrête pas de sonner.

_____ 4. Vous voyez plusieurs garçons qui brutalisent un enfant qui est plus petit qu'eux.

_____ 5. Vous êtes accusé(e) injustement d'avoir copié à un examen.

_____ 6. Vous avez un rendez-vous que vous jugez important. Vous attendez patiemment mais personne ne vient.

_____ 7. Vous avez bien travaillé et vous pensez que vous méritez une promotion. Mais, en réalité, c'est le fils du directeur, un jeune homme sans expérience, qui reçoit cette promotion.

_____ 8. Vous faites la queue au supermarché. Vous êtes pressé(e) mais vous attendez patiemment votre tour. Quelqu'un passe devant vous.

_____ 9. Vous êtes sur l'autoroute. Brusquement votre voiture s'arrête : il n'y a plus d'essence dans le réservoir.

_____ 10. Un ami vous demande vos notes de classe. Vous les lui donnez mais à une condition : il doit vous les rendre une semaine avant l'examen. Trois jours avant l'examen, il téléphone pour vous dire qu'il les a perdues.

_____ 11. Vous êtes très fatigué(e) et vous voulez dormir. Vos voisins chantent, dansent et font un bruit infernal jusqu'à quatre heures du matin.

_____ 12. Vous êtes dans un parking et vous cherchez une place pour votre voiture. Finalement vous en trouvez une, mais juste à ce moment, une autre voiture passe devant vous et prend cette place.

_____ 13. Le bulletin météorologique annonce qu'il fera un temps magnifique dimanche. Vous invitez de nombreux amis à faire un pique-nique. Dimanche matin, vous ouvrez votre fenêtre : c'est un vrai déluge !

_____ 14. Il y a un programme spécial à la télévision que vous avez vraiment envie de voir. Vous tournez le bouton : la télévision ne marche pas.

_____ 15. Le gouvernement prend une mesure que vous jugez idiote ou désastreuse.

_____ Total : *additionnez les nombres*

*Divisez par 15 pour obtenir votre moyenne. Consultez l'interprétation qui suit.*

MOYENNE   INTERPRÉTATION

0,00-0,49   Mon Dieu ! Êtes-vous sûr(e) que vous êtes vivant(e) ? !

0,50-1,49   Vous laissez rarement les circonstances vous affecter.

1,50-2,49   Vous réagissez aux circonstances avec une vigueur certaine mais qui reste dans des limites raisonnables.

2,50-3,49   La colère est une réaction saine et vous en faites grand usage !

3,50-4,00   Vous êtes un vrai volcan ! Si vous exprimez votre colère, vous risquez de vous faire des ennemis — et si vous ne l'exprimez pas, vous risquez d'avoir des ulcères !

# D. *ALLEZ-VOUS ACCEPTER OU PROTESTER ?*

*Bien souvent vous vous trouvez dans des circonstances plus ou moins désagréables. Comment allez-vous réagir ? Allez-vous accepter ou protester ? Pour chacune des situations suivantes, complétez la phrase qui exprime le mieux votre réaction.*

VOTRE PROFESSEUR : Vous avez été absent(e) pendant une semaine. Eh bien, dans ce cas-là, vous écrirez deux compositions au lieu d'une seule la semaine prochaine. Je les veux demain.

VOUS :   a) Oui, monsieur le professeur . . . !
         b) Mais, monsieur le professeur . . . !

LE GARÇON DE CAFÉ : Je regrette . . . nous n'avons plus de croissants mais nous avons des petits pains tout frais.

VOUS : a) Ça n'a pas d'importance, alors . . .
b) À neuf heures du matin, . . .

UN DE VOS PARENTS : Tu voulais prendre la voiture pour sortir ? Dommage, mais nous en aurons besoin ce soir. Et puis, ça ne te fera pas de mal de marcher à pied pour une fois.

VOUS : a) C'est dommage mais . . .
b) Ce n'est pas juste . . .

LE MÉCANICIEN : Je sais que nous vous avons promis que votre voiture serait prête à 5 heures mais nous avons eu plus de travail que d'habitude. Si vous voulez, vous pouvez revenir demain matin à 9 heures ; elle sera peut-être prête.

VOUS : a) Je comprends. Dans ce cas-là, . . .
b) Impossible ! Je . . .

## E.  MINI-DRAMES

*Choisissez une ou plusieurs situations présentées dans ce chapitre ou inventez une situation vous-même et préparez un mini-drame qui représente les actions et réactions possibles des gens qui se trouvent dans ces situations. Si vous voulez, vous pouvez jouer les rôles que vous avez créés.*

## F. VIVENT LES DIFFÉRENCES !

1. Est-ce que vous vous mettez souvent en colère ? Est-ce qu'il y a des circonstances particulières qui ont tendance à provoquer votre colère ? Comment réagissez-vous quand quelqu'un est en colère contre vous ?

2. Racontez un incident qui a provoqué votre colère et analysez vos réactions.

3. La haine et la violence sont des sentiments qui n'ont aucune valeur positive. Commentez et discutez.

4. Y aurait-il autant de criminels dans notre société si les gens étaient plus libres d'exprimer leurs émotions ?

UNE COURSE À LA COCARDE

# 10

# *Un Matador français*

Depuis longtemps Simon Casas prépare le « grand jour ». Il est prêt. Samedi après-midi, dans les arènes de Nîmes, il recevra « l'alternative », c'est-à-dire qu'il deviendra officiellement « matador de toros ». C'est 5 une cérémonie exceptionnelle car Casas n'est pas espagnol mais français. Simon Casas est le quatrième matador français dans l'histoire de la tauromachie.°    *bullfighting*

Simon Casas est le leader d'une nouvelle génération qui veut prouver que la tauromachie n'est pas le 10 domaine exclusif des Espagnols. Il a 27 ans et il est né à Nîmes. Pour réaliser son rêve d'enfance et devenir matador il a pris tous les risques.

À l'âge de 10 ans, Simon Casas simule déjà la corrida° quand il joue avec les enfants de son quartier.    *bullfight*

**81**

« Tour à tour,° dit-il, nous étions le taureau,° le to- *taking turns / bull*
réro, et le public. » À 12 ans, il affronte les petits
taureaux dans les fêtes de villages en Camargue.ᶜ À 15
ans, il va à Paris pour jouer le matador dans une mini-
5 scule arène portative.° « Pendant des mois, j'ai voyagé *portable*
de la Bretagne à la Côte d'Azur, explique-t-il. L'impré-
sario ne me payait presque rien. Mais je savais qu'il
est nécessaire de souffrir pour devenir matador. Je
souffrais. J'étais heureux. »

10     Deux ans plus tard, Simon Casas arrive finalement
à Madrid. Il a seulement 100 pesetas en poche. Pour
survivre, il dessine sur les trottoirs de la capitale. La
nuit, il dort dans les chantiers.° Le jour, il passe son *construction sites*
temps dans les élevages° de taureaux, espérant que le *ranches*
15 propriétaire lui permettra de faire quelques passes devant un taureau. « Mes compagnons et moi nous
n'avions qu'une obsession, raconte-t-il, être suffisamment brillant pour obtenir une petite corrida de vil-
lage, ici et là. »

20     Mais le syndicat des matadors espagnols est intransigeant.° Il ne permet pas à des toréros français de *inflexible*
toréer en Espagne. En France, les directeurs d'arènes
ne sont pas plus encourageants. Pour eux aussi, la
seule vraie tauromachie est espagnole. Les préjugés
25 sont beaucoup plus difficiles à combattre que le taureau. La seule façon de les vaincre, c'est de montrer au
public qu'un matador français peut être aussi brillant
qu'un matador espagnol. Mais pour cela, il faut avoir
l'occasion d'affronter le taureau sous les yeux mêmes
30 du public.

    C'est précisement ce que Simon Casas a fait. Un
jour de corrida à Nîmes, Simon Casas saute dans
l'arène et affronte le taureau les mains nues. Ordoñez,
le matador, lui donne sa muleta et son épée.° Après *cape and sword*
35 quelques passes, Casas tue le taureau. C'est son premier jour de gloire. Mais c'est un acte isolé qui ne
résoud pas le problème. Trois ans plus tard, au cours
d'une corrida dans les Landes, Simon Casas participe
à une autre confrontation : à la tête d'une vingtaine
40 de toréros français, une muleta dans une main, un

drapeau tricolore° dans l'autre, il interrompt le spec-        *French flag*
tacle pour forcer l'attention du public.

Les méthodes de Simon Casas ne sont pas très appréciées dans le petit monde de la tauromachie espa-
5 gnole. Elles choquent certains et intriguent les autres.
Pourtant, sous la pression de ces contestations, la tradition recule° lentement. Quelques organisateurs veu-        *gives way*
lent voir les Français à l'action. Le travail de muleta
de Simon Casas impressionne favorablement les ex-
10 perts. Finalement, le syndicat des matadors lui-même
accepte d'accorder « l'égalité et la parité » aux toréros
français.

Simon Casas est maintenant officiellement matador. Au cours de ses longues années d'apprentis-
15 sage,° il a beaucoup appris. Il a beaucoup lu aussi        *training*
pour arriver à comprendre pleinement « cette histoire
d'amour, ce transfert de passion entre l'homme et la
bête » qu'est la corrida. Maintenant il ne lui reste plus
qu'à faire ses preuves° dans l'arène.        *prove himself*

Extrait et adapté d'un article de *l'Express* par Pierre Accoce

ÉLEVAGE DE TAUREAUX
EN CAMARGUE

**N**OTES CULTURELLES    Les corridas, et ce qu'on pourrait plus justement appeler les courses de taureaux et de
vaches, ont lieu presque exclusivement dans le Midi de la France.
Les taureaux de combat sont élevés en Camargue, une région
située dans le delta du Rhône. Le pur taureau camarguais est plus
petit et moins agressif que le taureau espagnol mais les matadors
espagnols n'aiment pas beaucoup combattre les taureaux camarguais. C'est en partie parce qu'ils sont plus difficiles à contrôler,
mais surtout parce qu'ils ont souvent été utilisés dans des compétitions et qu'ils ont l'habitude du combat avec l'homme.

Les plus belles corridas ont généralement lieu dans les arènes
de Nîmes ou d'Arles qui ont été construites par les Romains au
début de notre ère.

Les « courses landaises » et les « courses à la cocarde » sont
particulièrement appréciées dans tout le Sud-ouest. Ce jeu con-
siste à enlever une cocarde (*paper flower*) attachée entre les cor-
nes de la vache ou du taureau. Il n'y a pas de mise à mort
(*killing*) du taureau comme dans la corrida.

# ACTIVITÉS

## A. *COMPRÉHENSION DU TEXTE*

*Répondez aux questions suivantes selon les renseignements donnés dans le texte.*

1. Pourquoi est-ce que cela a été particulièrement difficile pour Simon Casas de devenir matador ?

2. Est-ce qu'il y a eu beaucoup d'autres matadors français avant Simon Casas ?

3. À quel âge Simon a-t-il commencé à s'intéresser à la tauromachie ?

4. Est-ce que Simon gagnait beaucoup d'argent quand il jouait le matador dans une arène portative ?

5. Comment Simon Casas vivait-il quand il était à Madrid ?

6. Pourquoi passait-il ses journées dans les élevages de taureaux ?

7. Pourquoi Simon Casas ne pouvait-il pas toréer en Espagne ?

8. Pourquoi a-t-il eu également de la difficulté à se faire accepter en France ?

9. Qu'est-ce que Simon Casas a fait pour montrer au public qu'un matador français peut être aussi bon qu'un matador espagnol ?

10. À quelle autre confrontation a-t-il participé quelques années plus tard ?

11. Est-ce que Simon Casas a réussi à vaincre la résistance des organisateurs et du syndicat des matadors ?

12. Qu'est-ce que Simon Casas a appris pendant ses longues années d'apprentissage ?

# B. CONNAISSEZ-VOUS LE MIDI DE LA FRANCE ?

*Quelle est la réponse correcte ? Si vous ne la savez pas, consultez les réponses à la fin de cette activité.*

1. Les arènes de Nîmes ont été construites . . .

   a. par les Romains
   b. par le célèbre architecte français Le Corbusier
   c. par Napoléon, en l'honneur de sa victoire en Égypte

2. La Provence est une région de France située entre les Alpes et la Méditerranée ; son climat est . . .

   a. froid et humide
   b. chaud et sec
   c. très froid toute l'année à cause de l'altitude

3. Les habitants du Midi ont la réputation d'être . . .

   a. tristes et silencieux
   b. réservés et travailleurs
   c. exubérants et gais

4. Beaucoup de villages de Provence sont construits au sommet d'une colline parce qu'autrefois il était nécessaire de se protéger contre . . .

   a. les invasions des pirates venus d'Afrique du Nord
   b. les animaux sauvages
   c. les tremblements de terre

5. Le Bas Languedoc est une région du Sud de la France où on produit surtout . . .

   a. du vin
   b. des céréales
   c. des pommes de terre

6. La ville d'Avignon est célèbre parce que . . .

   a. c'est un grand centre commercial
   b. Louis XIV y a habité
   c. les papes y ont habité au 14e siècle

7. La « course à la cocarde » est . . .

    a. une course de taureau populaire dans le Midi de la France

    b. une course cycliste comparable au Tour de France

    c. une compétition sportive spécialement destinée aux athlètes du Midi de la France

8. En Provence, on peut voir beaucoup de monuments construits par . . .

    a. les Espagnols

    b. les Romains

    c. les Grecs

9. Les Landes sont une région couverte de forêts de pins et située entre . . .

    a. Bordeaux et la frontière espagnole

    b. Marseille et Nice

    c. le Massif Central et la Mer Méditerranée

10. Le port de Marseille a été fondé environ 600 ans avant Jésus Christ par . . .

    a. les Romains

    b. les Arabes

    c. les Grecs

11. Le Mistral est le nom . . .

    a. d'une chaîne de montagnes

    b. du vent qui souffle dans la vallée du Rhône et dans la région de Marseille

    c. d'une liqueur fabriquée en Provence

12. La ville de France qui est le centre de l'industrie aéronautique et où on construit le Concorde est . . .

    a. Bordeaux

    b. Marseille

    c. Toulouse

MARSEILLE, LE VIEUX PORT

13. La pétanque est . . .

    a. un jeu de boules très populaire dans le Midi de la France

    b. un monument qui a été construit par les Romains

    c. une sorte de fruit qu'on cultive en Provence

14. Les Basques sont un peuple dont l'origine et la langue sont différentes de celles des autres peuples européens. Le Pays Basque est situé . . .

    a. entièrement en France

    b. entièrement en Espagne

    c. en partie en France et en partie en Espagne

15. Les Pyrénées sont . . .

    a. les habitants d'une ville du Midi

    b. des insectes qui s'attaquent aux cultures d'oliviers

    c. de hautes montagnes qui séparent la France et l'Espagne

16. Beaucoup de touristes visitent la ville de Carcassonne parce que . . .

    a. c'est un centre de sports d'hiver

    b. c'est une vieille ville entourée de remparts qui conserve son aspect médiéval

    c. il y a chaque année un grand festival d'art dramatique

17. Les deux grands ports commerciaux du Sud de la France sont . . .

    a. Nice et Biarritz

    b. Bordeaux et Marseille

    c. Toulouse et Cannes

18. La Camargue est une région basse et marécageuse (*swampy*) située dans le delta du Rhône. On y élève surtout . . .

    a. les chevaux et les taureaux

    b. les moutons

    c. les poulets

RÉPONSES :

1. a; 2. b; 3. c; 4. a; 5. a; 6. c; 7. a; 8. b; 9. a; 10. c; 11. b; 12. c; 13. a; 14. c; 15. c; 16. b; 17. b; 18. a.

## C. AIMEZ-VOUS LE DANGER ?

*Est-ce que les sports suivants vous paraissent dangereux ? Refaites la liste en mettant ces sports dans l'ordre suivant : 1) du plus dangereux au moins dangereux, et 2) du plus intéressant au moins intéressant. Est-ce que vos deux listes se ressemblent ? Si vous voulez, vous pouvez discuter vos décisions avec d'autres étudiants.*

| DANGER | INTÉRÊT | SPORT |
|--------|---------|-------|
| _____ | _____ | la corrida |
| _____ | _____ | les courses d'automobiles |
| _____ | _____ | les safaris |
| _____ | _____ | le hockey sur glace |
| _____ | _____ | le ski nautique |
| _____ | _____ | le ski de neige |
| _____ | _____ | le parachutisme |
| _____ | _____ | la plongée sous-marine |
| _____ | _____ | la spéléologie |
| _____ | _____ | l'alpinisme |
| _____ | _____ | le cyclisme |
| _____ | _____ | la boxe |
| _____ | _____ | les courses de moto |
| _____ | _____ | le surfing |
| _____ | _____ | ? |

## D. QUESTIONS / INTERVIEW

*Répondez aux questions suivantes ou utilisez-les pour interviewer un(e) autre étudiant(e).*

1. Est-ce que vous avez assisté à une corrida ? Où, quand, et quelles ont été vos réactions ?
2. Est-ce que vous aimeriez voir une corrida ?
3. Est-ce que vous aimeriez être matador ?
4. Est-ce que vous aimez les sports dangereux ?

5. Que pensez-vous des gens qui pratiquent des sports dangereux ?

6. Est-ce que vous aimez mieux les sports individuels ou les sports d'équipe ? Pourquoi ?

7. Quels sports pratiquez-vous régulièrement ?

8. Est-ce qu'il y a d'autres sports que vous aimeriez pratiquer ? Lesquels et pourquoi ?

9. Quelles sont, parmi les vedettes du sport contemporain, celles que vous admirez le plus ? Pourquoi ?

10. Qu'est-ce qui est le plus important pour vous, gagner ou vous amuser ?

11. Est-ce qu'aux États-Unis on encourage les enfants à pratiquer trop tôt des sports compétitifs ?

12. ?

# E. VIVENT LES DIFFÉRENCES !

1. Est-ce que la corrida est un sport cruel qui devrait être interdit ?

2. En Espagne, la corrida est une véritable institution nationale. Mais pour les Espagnols, la corrida n'est pas un sport, c'est un art, comme le ballet. Qu'en pensez-vous ?

3. Pour réaliser son rêve, Simon Casas a fait beaucoup de sacrifices. Est-ce vrai que tout ce qui est vraiment important dans la vie demande des sacrifices ?

4. Simon Casas a dit « Je savais qu'il est nécessaire de souffrir pour devenir matador. Je souffrais. J'étais heureux. » Est-ce qu'on peut souffrir et être heureux en même temps ?

5. Pouvez-vous comprendre — et expliquer — l'attrait que la corrida a pour beaucoup de gens ?

6. Est-ce que la confrontation est une bonne méthode pour faire reculer les préjugés et les traditions établies ?

7. Est-ce qu'aux États-Unis, le football satisfait les mêmes passions et joue le même rôle que la corrida en Espagne ?

# 11

# *Comment vivre jusqu'à 100 ans*

*107 ans*

Le cas de Jean Toillet déconcerte les médecins. Toute sa vie il a brûlé la chandelle par les deux bouts.° Selon sa femme (87 ans), il rentrait souvent à
5 la maison à 3 heures du matin, après avoir un peu trop bu. « Même marié, il vivait comme un célibataire,° explique-t-elle. Il pense que les femmes sont faites pour servir les hommes. Je ne regrette pas nos 66 ans de vie commune, mais si c'était à refaire, je serais
10 membre du Mouvement de la libération des femmes ! » M. et Mme Toillet ont eu sept enfants, mais lui, il en voulait douze !

Jean Toillet, qui mesure seulement 1,46 mètres, a une vigueur exceptionnelle. « J'ai été coiffeur pendant
15 57 ans dans le plus grand salon pour hommes de la capitale. Victor Hugo était un de nos clients. Il avait une belle barbe,° mais il parlait peu. Ah, j'ai eu une belle vie ! J'étais souvent invité à dîner et à aller au théâtre. »

20 Il boit du vin, fume un cigare par jour et mange de tout. « Mon secret de longévité ? C'est bien simple : je ne me mets jamais en colère et je ne suis pas jaloux ! »

*burn the candle at both ends*

*bachelor*

*beard*

## 108 ans

Ernestine Compain, la plus vieille Française, vient d'une famille pauvre. « Nous ne mangions pas de viande tous les jours, explique-t-elle. Nous avions seu-
5 lement des pommes de terre, du fromage et des œufs. Mais j'ai toujours eu une bonne santé. Je suis allée chez le médecin pour la première fois à l'âge de 80 ans parce que j'avais une mauvaise bronchite. » Elle a eu une vie difficile : « Mon mari est mort quand j'avais
10 23 ans. J'avais deux enfants et il a fallu que je me débrouille° toute seule. Je travaillais comme coutu- *manage*
rière. »° *dressmaker*

Ernestine Compain habite une chambre conforta-
ble dans une maison de retraite.° Elle ne prend aucun *retirement home*
15 médicament et dort comme un bébé. Elle ne voit pas très bien, mais elle continue quand même à travailler. C'est elle qui a fait la robe qu'elle portait pour son centenaire.° Elle mène une vie très calme, se couche et *l'anniversaire de cent ans*
mange à des heures régulières. « Je n'écoute pas beau-
20 coup la radio, dit-elle, parce que tout est si différent maintenant. Le modernisme a changé les coutumes et les traditions, et c'est bien dommage. »

Quand on lui demande son secret de longévité, elle répond : « Je vais vous étonner, mais il y a une chose
25 qui est essentielle pour moi, ce sont mes deux tasses° *cups*
de café par jour. Et on dit que c'est mauvais pour la santé ! »

## 100 ans

Il est probable que c'est sa passion pour la peinture
30 qui explique l'extraordinaire vitalité d'Hélène Berlewi, une artiste peintre d'origine polonaise.

« J'ai commencé à peindre à l'âge de 79 ans et j'ai eu ma première exposition l'année dernière à 99 ans. J'ai commencé par faire des tableaux figuratifs mais
35 maintenant je commence à faire de l'abstrait. »

La peinture est sa principale occupation mais elle fait chaque jour une promenade dans le parc, même quand il fait mauvais. Au déjeuner, elle a mangé des

hors d'œuvre, du poisson, du rôti, des pommes de terre, des haricots verts, des raisins et elle a bu du vin rouge. « J'ai un excellent appétit, dit-elle, et je suis très gourmande.° La seule chose qui me manque ici,     *qui adore manger*
5 c'est la vodka. »

### 101 ans

Jules Scoquart ne fait pas mystère de son secret de longévité. « J'ai toujours mangé mes propres fruits et légumes, explique-t-il. Aujourd'hui, avec les engrais°     *fertilizer*
10 tout est mauvais ; on demande trop à la terre. »
    Il faisait tout lui-même : son propre vin, son cidre, son eau de vie° — il continue à en boire un petit     *brandy*

ET EN AVANT LA MUSIQUE!

verre chaque jour. Jusqu'à l'année dernière, il s'occu-
pait lui-même de son jardin. Il est très gourmand mais
il n'a jamais fumé.

Il est encore plein de vitalité et vit avec sa bonne
5 amie,° Thérèse, 60 ans. « Un homme ne peut pas vi-          *girlfriend*
vre sans femme, explique-t-il, elle est là pour le con-
duire sur le bon chemin. Elle s'occupe bien de moi, la
Thérèse. Et oui ! Elle surpasse ma femme. C'était une
bonne épouse, mais elle n'était pas gaie ; c'est pour ça
10 qu'elle est morte d'un cancer. Être triste, voyez-vous,
ce n'est pas bon pour la santé. Pour vivre longtemps,
il faut être de bonne humeur. »

Tout fonctionne bien chez ce joyeux centenaire, la
tête comme le corps.° Il se lève le matin à 11 heures          *body*
15 après avoir pris son petit déjeuner au lit. Il s'habille,
lit le journal et attend l'heure du déjeuner : viande,
légumes de son jardin, fromages, biscuits.° Le soir, il       *cookies*
regarde la télé. Depuis qu'il vit avec Thérèse, il
s'intéresse aux voyages. Il a visité la Suisse et il va
20 bientôt aller sur la Côte d'Azur.

*101 ans*

« Ma pipe est sacrée, dit Henri Fache, ancien ingénieur. J'en fume six par jour. Cela ne m'a jamais fait
de mal. »

Henri Fache, lui aussi, a une énergie formidable.
« Mon secret, dit-il, c'est la discipline : pendant toute
ma vie, je me suis levé à 7 heures et couché à 11
heures. »

Dans sa chambre, il y a une imposante collection
30 de disques. « Je ne pourrais pas vivre sans écouter
chaque jour de la grande musique », explique-t-il.

Après son petit déjeuner, Henri Fache fait une promenade pendant une heure. Il mange de tout et boit
du vin. L'après-midi, il reçoit des visites et écrit des
35 poèmes. En nous quittant, il répète : « La discipline,
la discipline, tout est là ! »

Extrait et adapté d'un article de *Paris Match* par V. Skavinska

# ACTIVITÉS

## A. COMPRÉHENSION DU TEXTE

*Qui, parmi les cinq vieux que vous avez rencontrés, a probablement fait les remarques suivantes ?*

1. « S'il y avait plus de discipline dans les écoles, on n'aurait pas tous les problèmes qu'on a maintenant. »

2. « Pendant ma vie j'ai eu l'occasion de rencontrer beaucoup de gens célèbres. »

3. « Je n'ai qu'un seul regret, c'est de ne pas avoir découvert ma vocation plus tôt. La peinture a complètement changé ma vie. »

4. « Ma femme est morte il y a quelques années. C'était une femme courageuse, mais la vie avec elle n'était pas drôle. »

5. « La libération de la femme ? Tout ça, ce sont des histoires. Tout le monde sait que c'est l'homme qui doit commander et que la femme est faite pour obéir. »

6. « On dit que l'alcool est mauvais pour la santé. Eh bien, moi qui vous parle, je bois mon petit verre d'eau de vie tous les jours et vous voyez que ça ne m'a pas empêché de devenir centenaire. »

7. « J'ai eu une enfance très difficile. Nous étions très pauvres et nous avions rarement assez à manger. »

8. « Un de mes plus grands plaisirs dans la vie, c'est d'écouter de la musique classique. À mon âge, je ne vais plus très souvent au concert, mais heureusement, j'ai une bonne collection de disques. »

9. « J'adore voyager. Ma bonne amie et moi nous avons beaucoup de projets. Si tout va bien, nous irons à Cannes et à Nice l'année prochaine. »

10. « La vie moderne, ne m'en parlez pas ! Maintenant on achète des choses toutes faites et les gens ne pensent qu'à s'amuser. »

11. « J'ai passé toute mon enfance en Pologne et ma famille a émigré en France juste après la première guerre mondiale. »

12. « La liberté, c'est savoir se discipliner soi-même pour ne pas être discipliné par les autres. »

## B. LE SECRET DU BONHEUR

*Nous avons tous certaines idées sur ce qu'il faut faire pour vivre long-
temps, avoir une bonne vie, être heureux. Utilisez les éléments suivants
pour vous aider à exprimer quelques-unes de vos idées sur ce sujet. Y a-
t-il des conflits entre « être heureux » et « vivre longtemps » ?*

être de bonne humeur.
boire beaucoup de café.
manger des produits
    naturels.
fumer.
aimer la vie.
travailler dur.
s'intéresser
    à ce qu'on fait.

Pour être heureux
Pour vivre longtemps
Pour être en bonne santé    il faut
Pour profiter de la vie    il ne faut pas
Pour avoir une bonne vie
        ?

avoir une occupation
    intéressante.
aller fréquemment
    chez le médecin.
prendre le temps
    de vivre.
savoir se discipliner.
se mettre en colère.
être jaloux.
se lever et
    se coucher à des
    heures régulières.
faire une promenade
    tous les jours.
rester calme.
se marier.
s'intéresser
    à beaucoup de choses.
boire du vin.
rester célibataire.
brûler la chandelle
    par les deux bouts.
manger de tout.
        ?

# C. *TEST DE LONGÉVITÉ*

*Voulez-vous savoir quelles sont vos chances de longue vie ? Pour le savoir, lisez attentivement le tableau suivant et marquez dans chaque colonne la catégorie qui correspond à votre situation. Additionnez les nombres et faites le total de vos points.*

| Catégorie | Âge | Exercice |
|---|---|---|
| [1]femme de taille moyenne | [1]de 10 à 20 ans | [1]travail actif et exercice intensif |
| [2]femme un peu grosse | [2]de 21 à 31 ans | [2]travail actif et exercices modérés |
| [3]femme très grosse | [3]de 31 à 40 ans | [3]travail sédentaire et exercices intensifs |
| [5]homme de taille moyenne | [4]de 41 à 50 ans | [5]travail sédentaire et exercices modérés |
| [6]homme un peu gros | [6]de 51 à 60 ans | [6]travail sédentaire, peu d'exercices |
| [7]homme très gros | [8]de 61 à 70 ans | [8]manque total d'exercices |

| Tabac | Poids* | Nutrition |
|---|---|---|
| [0]non fumeur | [0]2,5 kg (ou plus) au dessous du poids normal | [1]nourriture simple et légère |
| [1]cigare et/ou pipe | [1]2,5 kg de plus ou de moins que le poids normal | [2]viandes grillées, légumes, peu d'œufs |
| [2]10 cigarettes par jour | [2]3 à 10 kg au-dessus du poids normal | [3]nourriture normale et équilibrée |
| [4]20 cigarettes par jour | [3]10 à 16 kg au-dessus du poids normal | [4]nourriture normale, mais avec quelques petites indulgences |
| [6]30 cigarettes par jour | [5]18 à 25 kg au-dessus du poids normal | [5]nourriture riche, beaucoup, de sauces, pâtisseries et desserts |
| [10]40 cigarettes par jour ou plus | [7]25 à 35 kg au-dessus du poids normal | [7]nourriture très riche et très abondante (grande abondance de sauces, pâtisseries, et desserts) |

*Pour trouver votre poids normal, consultez le tableau suivant.*

| HOMMES | | FEMMES | |
|---|---|---|---|
| Taille | Poids | Taille | Poids |
| 157 cm* | 53-58 kg* | 147 cm | 43-48 kg |
| 160 cm | 54-60 kg | 150 cm | 44-50 kg |
| 163 cm | 56-61 kg | 152 cm | 45-51 kg |
| 165 cm | 57-63 kg | 155 cm | 47-52 kg |
| 168 cm | 59-64 kg | 157 cm | 48-52 kg |
| 170 cm | 60-65 kg | 160 cm | 50-55 kg |
| 173 cm | 62-68 kg | 163 cm | 51-57 kg |
| 175 cm | 64-70 kg | 165 cm | 52-59 kg |
| 178 cm | 66-72 kg | 168 cm | 54-61 kg |
| 180 cm | 68-74 kg | 170 cm | 56-63 kg |
| 183 cm | 69-77 kg | 173 cm | 58-64 kg |
| 185 cm | 71-78 kg | 175 cm | 59-66 kg |
| 188 cm | 78-81 kg | 178 cm | 61-68 kg |
| 191 cm | 75-83 kg | 180 cm | 63-70 kg |
| 193 cm | 77-86 kg | 183 cm | 65-72 kg |

*1 inch = 2.54 cm

*1 pound = .45 kg


TOTAL  INTERPRÉTATION

5-10   Bravo ! Vous avez d'excellentes chances de vivre jusqu'à 100 ans.

11-15   Centenaire ou non, vous avez toutes les chances de vivre longtemps et de rester en excellente santé.

16-21   Vos chances de devenir centenaire diminuent peu à peu.

22-27   Attention ! Vous n'avez qu'une chandelle ; ne la brûlez pas par les deux bouts.

28-35   Mieux vaut tard que jamais, vous pouvez encore changer vos habitudes et récupérer quelques années.

36-54   Vous savez profiter de la vie mais vos chances de devenir centenaire sont minimes.

# D. ÉLIXIR DE LONGÉVITÉ

*Depuis longtemps on essaie d'inventer un élixir de longévité. Eh bien, c'est fait ! Votre travail maintenant est de vendre ce produit. Préparez une annonce publicitaire pour cette potion magique. Utilisez le paragraphe suivant comme guide.*

Messieurs, Mesdames, je vous apporte ce que vous attendez tous : un élixir de longévité qui s'appelle ———. Cette merveilleuse potion a été découverte par ———, le grand spécialiste de ———. Les avantages de ce produit révolutionnaire sont nombreux et je vous en cite seulement quelques-uns : ———. Si vous ne me croyez pas, demandez à ———. Depuis qu'il suit notre traitement, il ———. Mais attention, ce produit est très concentré, ne prenez que ——— par jour, sinon vous risquez de ———. Dépêchez-vous de profiter de cette offre ———. La quantité est limitée. Nous vous offrons ce produit au prix extraordinaire de ———. En plus de notre merveilleux élixir, les 10 premiers clients recevront ———. En vérité, messieurs, et mesdames, ce produit est une garantie de ——— pour le reste de vos jours. N'hésitez pas, votre avenir en dépend.

# E. QUESTIONS / INTERVIEW

*Les vieux qui ont été interviewés par* Paris Match *ont raconté avec plaisir leurs souvenirs de jeunesse, mais nous avons tous des souvenirs de notre enfance. Quels sont les vôtres ? Répondez aux questions suivantes ou utilisez-les pour interviewer un(e) autre étudiant(e).*

1. Quand vous étiez petit(e), qui était votre meilleur(e) ami(e) ?
2. Quel était, pour vous, le meilleur moment de la journée ou de la semaine ?
3. Quel était votre programme de télévision favori ?
4. Quels étaient les plats que vous n'aimiez pas manger ?
5. Quelle était votre classe préférée ?
6. Quelles étaient vos distractions favorites ?

7. Quel était votre livre préféré ?

8. Qu'est-ce que vous vouliez être quand vous étiez petit(e) ?

9. À qui aimiez-vous rendre visite ?

10. Quels étaient vos disques et vos chanteurs favoris ?

11. Est-ce qu'il y a un événement qui vous a particulièrement impressionné(e) ?

12. Parmi vos souvenirs d'enfance, est-ce qu'il y en a quelques-uns dont vous vous souvenez avec un plaisir particulier ?

13. ?

## F. VIVENT LES DIFFÉRENCES !

1. Aimeriez-vous vivre jusqu'à l'âge de 100 ans ? Expliquez votre réponse.

2. Quelles sont ou quelles peuvent être les contributions des vieux à notre société ?

3. Qu'est-ce que cela veut dire « être vieux » ?

4. « Si jeunesse savait, si vieillesse pouvait. » Commentez.

5. Décrivez une vieille personne que vous connaissez.

6. Si vous pouviez vivre à une autre époque, laquelle choisiriez-vous et pourquoi ?

7. Est-ce que les vieux sont bien traités dans notre société ? Si non, que faudrait-il faire pour améliorer leur condition ?

8. La vie est vaine :
Un peu d'amour,
Un peu de haine . . .
Et puis bonjour !

La vie est brève :
Un peu d'espoir,
Un peu de rêve,
Et puis bonsoir !

C'est ainsi que Léon de Montenaeken exprime sa philosophie de la vie. Qu'en pensez-vous ?

# G. *DÉCOUVREZ LES VIEUX*

1. *Interviewez une vieille personne que vous connaissez au sujet de ses souvenirs de jeunesse, ou bien au sujet des conditions de vie autrefois, et présentez les résultats de votre conversation à la classe.*

2. *Les étudiants de langue ont souvent des correspondants étrangers de leur âge. Mais avez-vous pensé à avoir pour correspondant une personne âgée qui apprécierait sans doute ce genre de correspondance ? Si oui, voici quelques adresses auxquelles vous pouvez écrire :*

La Rochefoucauld (Maison de Retraite)
15, Avenue du Général Leclerc
75014 Paris

Corentin-Celton
67, Boulevard Gambetta
92130 Issy-Moulineaux

Paul-Brousse (Maison de Retraite)
14, Avenue Vaillant-Couturier
94800 Villejuif

Bigottini et Fondation Millard
3, Avenue de Clocher
93600 Aulnay-sous-Bois

Résidence Arthur Groussier
6, Avenue Marx-Dormoy
93140 Bondy

# 12

# Seul au milieu
# de l'Atlantique

*Le héros de cette aventure est un employé de l'arsenal de
Brest. Depuis son enfance, l'océan est son compagnon constant.
Quand il est transféré à l'arsenal de Dakar au Sénégal, il peut
enfin réaliser son rêve : acheter son propre bateau à voile° qu'il*   sailboat
5 *nomme « Menbriale ». Son temps fini à Dakar, il décide de
rentrer en France avec son bateau. Il quitte Dakar le 28 janvier.
La vie à bord du bateau est merveilleuse. Le 1ᵉʳ février, il arrive
au Cap Vert où il reste quelques jours. Le 12 février, il reprend
son voyage. C'est le jour suivant que tout est arrivé . . . Voici le*
10 *récit de son naufrage:°*   shipwreck

« En principe, j'inspectais le bateau toutes les deux
heures. Dans la nuit du 12 au 13 février, je me suis levé
vers quatre heures du matin. La mer était un peu agitée
mais tout était sec dans le bateau. J'ai mis mon réveil
15 pour sept heures moins dix et je me suis recouché. À
sept heures moins vingt, je me réveille brusquement.
Il y a trente centimètres d'eau dans le bateau. J'essaie
de mettre en marche° le moteur qui actionne aussi la   start
pompe, mais il est noyé.° L'eau monte très vite. J'ai   flooded

jeté à l'eau le « Zodiac », un canot pneumatique° de
quatre places qui est surmonté d'une petite tente. J'ai
vite mis quelques provisions dans le canot. Tout commençait à flotter autour de moi.

5    J'espérais encore sauver le « Menbriale » mais
l'eau est très vite montée jusqu'au roof du bateau.
Brusquement mon bateau s'est couché sur le côté. Le
courant m'a emporté très vite vers le sud-ouest.

   Je me suis dit que tout était fini. J'ai d'abord cher-
10 ché la cause de mon accident. Je ne trouvais aucune
explication. Même aujourd'hui, je ne comprends toujours pas. Pourtant, je n'ai pas eu peur ; la mer ne m'a
jamais fait peur. Enfant, j'ai eu peur dans les bois,
dans le noir, dans la campagne, mais jamais en mer.
15 J'ai calculé mes chances de survivre : elles n'étaient
pas bonnes.

   Je ne peux pas dire que j'ai trouvé le temps long
parce que je n'attendais rien ; pas même un bateau
puisque j'étais loin des grandes routes maritimes. Je
20 dormais beaucoup. Je n'ai jamais rien regretté. Pour
passer le temps, j'essayais de me rappeler les chansons
de Brassens, mon chanteur favori.

   Au bout de quatorze jours, je n'avais plus rien à
manger mais heureusement j'avais encore de l'eau. La
25 plupart du temps, je restais couché. J'ai vu des re-
quins° de très près. Ils touchaient le bateau et sau-
taient tout près de moi. L'un d'eux m'a suivi jusqu'au
bout. Je l'avais appelé « Césarin ».

   C'est dans la nuit du 8 au 9 mars que le miracle
30 s'est produit. Le miracle ? Je devrais dire une succes-
sion de miracles. Un cargo américain, le « Georges
Champion » faisait route vers l'Afrique équatoriale. Il
est passé très près de moi pendant que je dormais
mais je n'ai rien entendu. Le canot commençait à pren-
35 dre l'eau et je devais écoper° souvent ; c'est pour ça
que je me suis réveillé. C'est alors que j'ai vu une
lumière° au loin. J'ai d'abord cru que c'était la lune.
Mes réactions étaient lentes et hésitantes. J'ai envoyé
une fusée.° Il y avait deux hommes sur le pont° du
40 « Georges Champion », deux hommes qui en principe

*inflatable life-boat*

*sharks*

*bail out water*

*light*

*flare / bridge*

104

regardaient droit devant eux. Par quel miracle José Fernandez, un sous-officier, a-t-il regardé dans ma direction juste à ce moment-là ? Il a alerté son compagnon. Ils ont appelé le capitaine. Soudainement, j'ai vu deux
5 lumières : le bateau revenait vers moi. Je me suis mis à faire des S.o.s. avec ma lampe de poche. J'ai envoyé ma deuxième fusée. J'avais envie de pleurer de joie et je me disais bêtement, «· avant ce soir, tu mangeras ».

Le bateau est arrivé près de moi. J'étais si fatigué
10 qu'on a été obligé de m'aider à monter à bord. Très calme, le commandant a dit : « Donnez-lui un bouillon de poulet, mais sans poulet. » C'était pour moi une autre naissance.° *birth*

Le 16 mars, le « Georges Champion » est arrivé à
15 Cabinda en Angola. Le commandant a contacté l'Ambassade de France à Luanda et m'a installé à l'hôtel. L'Ambassade a téléphoné à mes parents d'envoyer un billet de retour. Et le 20 mai, je reprenais mon travail à l'arsenal dans la monotonie de la vie quotidienne. »

Extrait et adapté d'un article de *Paris Match*. Propos recueillis par Colette Porlier

# ACTIVITÉS

## A. *COMPRÉHENSION DU TEXTE*

*Répondez aux questions suivantes selon les renseignements donnés dans le texte.*

1. Où le héros de ce récit a-t-il fait naufrage ?
2. Qu'est-ce qu'il a acheté quand il était au Sénégal ?
3. Comment était la vie à bord du « Menbriale » ?
4. Après avoir inspecté son bateau le 12 février au matin, pourquoi s'est-il recouché ?
5. Décrivez brièvement son canot pneumatique.
6. Après son naufrage, vers quel continent est-ce que le courant l'a emporté ?
7. Selon le héros, quelles étaient ses chances de survivre ?
8. Que faisait-il sur le Zodiac pour passer le temps ?
9. Qu'est-ce que le « Georges Champion » ?
10. Pourquoi n'a-t-il rien entendu quand le cargo est passé près de lui ?
11. Combien de jours a-t-il passé en haute mer ?
12. Quels miracles se sont produits le 9 mars ?
13. Qu'est-ce que le capitaine lui a donné à manger ?
14. Avec quels sentiments le héros a-t-il repris son travail à l'arsenal ?

# B. NAUFRAGÉ

*Vous êtes seul(e) dans un canot pneumatique au milieu de l'Atlantique. Vous n'avez que quelques provisions, quelques feuilles de papier et un peu d'eau. Comment allez-vous occuper votre temps ? Choisissez les activités que vous aimeriez faire pour passer les heures. Si vous voulez, discutez et comparez vos choix avec d'autres étudiants.*

faire de la gymnastique
essayer de vous rappeler vos chansons favorites
nager dans l'océan
penser à vos souvenirs d'enfance
dormir
faire le plan d'un roman
essayer d'identifier parmi les requins celui qui est le plus sociable
organiser le rationnement de vos provisions
étudier le soleil et les constellations pour essayer de déterminer
   dans quelle direction vous allez
écrire un journal de vos expériences
penser à ce que vous ferez si vous êtes sauvé(e)
dessiner votre maison idéale
écrire un message que vous allez mettre dans une bouteille
calculer le nombre de secondes dans un siècle et faire d'autres
   jeux et calculs mentaux
fabriquer un jeu de cartes
penser au premier repas que vous mangerez si vous êtes sauvé(e)
faire souvent l'inspection du canot
?

# C. COMMENT SURVIVRE ?

*Imaginez que vous êtes en danger. Qu'est-ce que vous allez faire pour sortir de ces situations difficiles ? Choisissez une ou plusieurs des solutions proposées ou bien, créez votre propre solution.*

1. Vous êtes naufragé(e) au milieu du Pacifique. Vous êtes seul(e) dans un canot pneumatique sans beaucoup de provisions. Qu'est-ce que vous faites ?

    a. Je commence à nager vers le continent le plus proche.
    b. Je pleure sans cesse.
    c. J'économise mes forces et mes provisions.
    d. ?

2. Vous êtes dans les montagnes ; une avalanche vous sépare des autres alpinistes. Il commence à faire nuit. Qu'est-ce que vous décidez de faire ?

    a. Je commence tout de suite la descente.
    b. Je reste sur place et j'attends un hélicoptère.
    c. Je construis un petit igloo avec des blocs de neige.
    d. ?

3. Vous participez à un safari au Kenya. Tout d'un coup vous voyez un lion sortir de la jungle. Il vient lentement mais sûrement dans votre direction.

    a. Je prends sa photo.
    b. Je lui offre humblement toutes mes provisions.
    c. Je cours aussi vite que possible.
    d. ?

4. Vous naviguez sur une rivière infestée de crocodiles quand votre canot commence à prendre l'eau.

    a. J'essaie de découvrir d'où vient l'eau.
    b. J'écope, j'écope, j'écope !
    c. Je plonge dans l'eau et je fais semblant d'être un tronc d'arbre flottant.
    d. ?

5. Vous êtes seul(e) à la maison. Il est deux heures du matin. Vous entendez un bruit étrange dans une autre partie de la maison.

    a. Je me cache sous mon lit.
    b. Je prends mon revolver et j'attends.
    c. Je saute par la fenêtre.
    d. ?

6. Vous faites du camping ; vous dormez tranquillement dans votre tente quand vous entendez un bruit étrange. C'est un grizzly qui est en train de dévorer vos provisions.

    a. Je lui abandonne tout le terrain du camping.
    b. Je pousse des boîtes de haricots verts dans sa direction.
    c. Armé(e) d'une lampe de poche, j'essaie de le chasser.
    d. ?

# D. *SEUL(E) SUR UNE ÎLE DÉSERTE*

*Vous êtes seul(e) sur une île déserte. Choisissez parmi chaque paire d'objets celui que vous jugez le plus utile. Si vous voulez, discutez vos décisions avec d'autres étudiants.*

une lampe de poche ou des allumettes
un appareil photographique ou un revolver
un crayon ou un stylo
une tente ou une grotte
un chien ou un chimpanzé
une montre ou un calendrier
du papier à lettres ou du papier hygiénique
une brosse à dents ou une brosse à cheveux
une radio ou quelques livres
un miroir ou une bouteille
de la pénicilline ou de l'aspirine
du lait en poudre ou du coca-cola
?

# E. *BOUTEILLE À LA MER*

*Vous avez fait naufrage sur une île déserte. Heureusement, vous avez une bouteille et du papier. Composez le message que vous allez mettre dans la bouteille avant de la jeter à la mer.*

# F. *VIVENT LES DIFFÉRENCES !*

1. Est-ce que vous vous êtes jamais trouvé(e) dans une situation difficile ? Dans quelles circonstances ? Quelles émotions avez-vous éprouvées ? Comment avez-vous résolu le problème ?

2. Si vous étiez naufragé(e) sur une île déserte, qui aimeriez-vous avoir pour compagnon(s) ? Pourquoi ? Comment organiseriez-vous votre vie ?

3. Quelles sont les qualités mentales et physiques nécessaires pour survivre à une période de crise ?

4. Si vous aviez un bateau à voile ou un yacht, où iriez-vous ?

5. Aimeriez-vous vivre sur un bateau ?

# 13

# À bas les mathématiques!

Les mathématiques sont en accusation. Et où ? Dans un lieu sérieux et austère. L'Académie des Sciences morales et politiques elle-même. Les mathématiques sont accusées d' « impérialisme culturel ». Le fait
5 est que depuis la fin de la guerre, les mathématiques ont envahi les programmes scolaires, depuis l'école maternelle jusqu'aux universités. Partout l'équation est souveraine.

Un jeune médecin du Havre, président d'une Fédé-
10 ration de parents d'élèves, vient de lancer une croisade° pour dénoncer les excès, la tyrannie des mathématiques et les remettre à une place plus raisonnable. « Les mathématiques, dit le Docteur Lagarde, risquent de déséquilibrer notre société en favorisant les études
15 scientifiques et en ne laissant aux études littéraires qu'une part négligeable du festin. »° Ce médecin a peur d'un monde où les technocrates sans cœur° ni âme° occuperont tous les postes de commande et où

*crusade*

*feast, "pie"*
*heart*
*soul*

ceux qui auront gardé un peu d'humanité seront privés de toute influence.

Voulez-vous être dentiste, pilote ou électricien ?
5 Votre avenir dépend de votre force en algèbre. Ce sont les forts en maths qui ont les bonnes places et les bons salaires. Pour les docteurs en philosophie ou en sociologie, il reste seulement la médiocrité ou le chômage.° *unemployment*
Le Docteur Lagarde pense que cette popularité des ma-
10 thématiques est moins déterminée par des besoins réels que par un certain snobisme intellectuel. Il cite l'exemple de sa propre profession. Autrefois, un candidat médecin devait savoir lire le grec et le latin. Aujourd'hui, dès la première année d'études, il doit prou-
15 ver ses capacités à comprendre les maths avancées. Un candidat sur deux échoue à cause des maths. Mais à quoi vont servir les mathématiques ? Seulement à ceux qui font des recherches ; c'est-à-dire à peut-être un médecin sur cent.

20 Les mathématiques forment-elles l'esprit ?° Eh *mind*
bien, non, car elles sont incapables de donner à un futur médecin ce sens de l'humain ou ce flair du diagnostic qui, plus tard, lui sera indispensable. En ce domaine, l'enseignement des lettres° est bien supé- *humanities*
25 rieur à l'enseignement scientifique.

Le Ministre de l'Éducation nationale a décidé d'ouvrir une enquête sur la place des mathématiques dans l'enseignement. Des professeurs, des sociologues, des techniciens et des parents d'élèves ont été chargés
30 d'étudier ce problème. Leurs conclusions indiquent qu'effectivement, au cours des dernières années, les matières littéraires ont été sacrifiées dans les programmes scolaires et que les sciences offrent de plus nombreuses possibilités et de meilleurs salaires.

35 Pourtant, il ne s'agit pas de mettre en cause° la *to question*
nécessité des mathématiques. C'est contraire au bon sens. Ce qu'il faut, c'est débarrasser° les mathéma- *to rid*
tiques de leur domination incontestée et rendre sa dignité à l'enseignement des lettres.

Extrait et adapté d'un article de *Paris Match* par G. Hanoteau

# ACTIVITÉS

## A. *COMPRÉHENSION DU TEXTE*

*Répondez aux questions suivantes selon les renseignements donnés dans le texte.*

1. De quoi les mathématiques sont-elles accusées et pourquoi ?

2. Quel est le principal instigateur de la campagne contre la tyrannie des mathématiques ?

3. Selon le Dr. Lagarde, quel danger la tyrannie des maths représente-t-elle ?

4. Dans notre société, est-ce que les gens qui ont étudié les sciences humaines et sociales ont les mêmes chances de trouver un bon travail que ceux qui ont étudié les mathématiques et les sciences physiques ?

5. En quoi les études nécessaires pour devenir médecin ont-elles changé ?

6. Pourquoi beaucoup d'étudiants en médecine échouent-ils après la première année d'études ?

7. Pourquoi le Dr. Lagarde pense-t-il que l'étude des lettres est plus utile à un médecin que l'étude des mathématiques avancées ?

8. Quelle action le Ministre de l'Education nationale a-t-il prise en ce qui concerne le problème des mathématiques ?

9. Quelles sont les conclusions de la commission qui a été chargée d'étudier ce problème ?

10. Est-ce que l'auteur de l'article suggère qu'il faut supprimer totalement les mathématiques des programmes scolaires ?

# B. ÊTES-VOUS D'ACCORD ?

*Corrigez la phrase si vous n'êtes pas d'accord avec l'opinion exprimée.*

1. Il faut avoir des talents spéciaux pour étudier les sciences et les mathématiques.
2. À notre époque, l'étude des mathématiques est plus importante que l'étude des lettres.
3. Pour être une personne complète et bien éduquée, il faut avoir une formation littéraire aussi bien que scientifique.
4. La compassion et une bonne compréhension de la nature humaine sont plus importantes pour un médecin que les études scientifiques et les mathématiques avancées.
5. Les femmes ont plus d'aptitudes pour les arts que pour les sciences.
6. C'est injuste qu'une personne avec une formation scientifique gagne plus d'argent qu'une personne qui possède une formation littéraire.
7. Les scientifiques sont plus nécessaires à un pays que les artistes et les littéraires.
8. Le progrès de la science nous rend heureux.
9. La science peut résoudre tous nos problèmes.
10. La religion et la science sont incompatibles.
11. La plus grande découverte scientifique de tous les temps, c'est la découverte de l'énergie nucléaire.
12. L'automobile est la plus grande invention de tous les temps.

# C. PETITS PROBLÈMES POUR LES MATHÉMATICIENS

1. Si vous voulez aller de Paris à Lyon en train, vous pouvez prendre un « rapide » qui est un train direct qui ne s'arrête qu'à Dijon ou un « express » qui, lui, s'arrête dans presque toutes les

petites villes situées sur la ligne. La vitesse moyenne du rapide est de 165 km/h; celle de l'express est seulement de 85 km/h. L'express part de Paris à 13H 30, le rapide à 16H 05. La distance entre Paris et Lyon est de 500 km. Lequel des deux arrivera le premier à Lyon ?

2. Vous avez décidé de faire un pique-nique avec vos amis. Il y aura 10 personnes. On vous demande si vous préférez apporter le vin ou le fromage. Le vin coûte 4 F le litre et le fromage coûte 12 F les 500 grammes. Il faut compter ¼ litre de vin et 100 grammes de fromage par personne. Décidez quel est le choix le plus avantageux.

3. Vous êtes en France et vous décidez que vous avez trop profité de la bonne cuisine française. Avec un(e) de vos ami(e)s français(es) vous décidez de suivre un régime pour voir qui perdra le plus. Vous pesez 152 *pounds*; votre ami(e) pèse 68 kilos. Après un mois, vous pesez 145 *pounds* et votre ami(e) pèse 63 kilos. Qui a le mieux réussi ?

4. *Spécialement préparé pour les anti-mathématiciens :* Vous êtes le conducteur d'un autobus à 55 places et vous traversez la ville trois fois par jour avec un minimum de 15 arrêts. Au premier arrêt, deux enfants, trois vieillards et un professeur de botanique montent dans l'autobus. Au deuxième arrêt, 15 enfants montent dans l'autobus et deux personnes descendent. Au troisième arrêt, deux touristes et une jolie blonde montent dans l'autobus. Personne ne descend. La température est de 15° Celsius et vous roulez à une vitesse de 75 kilomètres à l'heure. Quel est l'âge du conducteur ?

# D. *À BAS / VIVE ?*

*Il y a sans doute des classes qui vous intéressent particulièrement et d'autres qui ne vous intéressent pas du tout. Que pensez-vous des matières suivantes qui figurent ou qui risquent de figurer un jour dans votre programme d'études ? Utilisez les éléments suivants pour vous aider à exprimer vos opinions sur quelques-unes de ces matières. Complétez la phrase pour justifier votre réaction.*

                la zoologie
                la géologie
                les sciences politiques
                la psychologie
                les mathématiques
                le dessin
                l'éducation physique
                le français
                l'anatomie
À bas           la musique            parce que . . .
                l'économie
Vive(nt)        l'astronomie
                la botanique
                la sociologie
                la physique
                la philosophie
                la chimie
                l'anglais
                l'anthropologie
                l'histoire
                        ?


## E. VIVENT LES DIFFÉRENCES !

1. Est-ce que la science et la technologie occupent une trop grande place dans nos études et dans notre vie ?

2. Est-ce que les mathématiques sont nécessaires à la formation de l'esprit ?

3. Devrait-on abolir les notes ? Les examens ? Pourquoi ?

4. Êtes-vous pour ou contre les cours obligatoires ?

5. Est-ce qu'il est dangereux de trop se spécialiser ?

$$a \geq d \sqrt{1 - (p/2m)^2}$$

# 14

# *Les Jeunes Français et l'argent*

Que veulent les jeunes d'aujourd'hui ? Consommer davantage . . . acheter des électrophones° ultra-modernes, des montagnes de disques, des motocyclettes ? Ou bien, imiter leurs parents et mettre leur argent à la
5 Caisse d'Épargne° pour se préparer à leur vie de demain ? Quelle place a l'argent dans la vie des jeunes ? C'est pour répondre à ces questions que l'*Express* a organisé récemment un sondage d'opinion dont nous vous présentons les résultats.

*record players*

*savings account*

Que représente l'argent pour vous ? Est-ce avant tout . . .

|  | % |
|---|---|
| Les plaisirs, la possibilité d'acheter ce qu'on veut | 56 |
| La sécurité | 22 |
| La liberté, l'indépendance | 19 |
| Le pouvoir sur les autres | 2 |
| Sans opinion | 1 |

Différentes raisons peuvent vous guider dans le choix d'une profession. Sur la liste suivante, quelle est, pour vous, la chose la plus importante ?

| Un travail intéressant | 57 |
|---|---|
| Un emploi sûr | 23 |
| Un travail bien payé | 9 |
| Un travail laissant beaucoup de loisirs | 7 |
| Beaucoup de responsabilités | 4 |

Dans la société actuelle, quel rôle, à votre avis, l'argent joue-t-il comme stimulant au travail ?

| C'est un stimulant indispensable | 35 |
|---|---|
| C'est un stimulant important, mais il y en a d'autres qui sont aussi importants | 52 |
| C'est un stimulant peu important | 6 |
| L'argent ne joue pratiquement aucun rôle | 4 |
| Sans opinion | 3 |

Si vous aviez plus d'argent, à quoi le consacreriez-vous en premier lieu ?

| Voiture | 22 |
|---|---|
| Épargne (compte en banque ou autre placement) | 19 |
| Vêtements | 14 |
| Motocyclette | 13 |
| Voyages | 11 |
| Logement | 7 |
| Appareil-photo, caméra, électrophone, chaîne haute-fidélité | 6 |
| Livres, disques | 3 |
| Meubles | 2 |
| Bateau | 1 |
| Ne savent pas | 2 |

Sur la liste suivante, pourriez-vous dire quelles sont les deux choses qui, actuellement, comptent le plus pour les jeunes de votre âge ?

|  | % |
|---|---|
| Trouver un métier intéressant | 40 |
| L'amour | 38 |
| Le bonheur familial | 28 |
| L'argent | 27 |
| Les loisirs | 21 |
| Se développer intellectuellement, se cultiver | 15 |
| Chercher à créer quelque chose soi-même | 15 |
| La justice sociale | 7* |

Si vous avez des enfants, pensez-vous que vous leur ouvrirez un livret de Caisse d'Épargne ?

| Oui | 88 |
|---|---|
| Non | 7 |
| Ne savent pas | 5 |

De façon plus générale, pensez-vous que vous habituerez vos enfants plutôt à économiser l'argent ou plutôt à le dépenser ?

| Plutôt à économiser | 88 |
|---|---|
| Plutôt à dépenser | 7 |
| Ne savent pas | 5 |

Si vos parents avaient une fortune importante, trouveriez-vous normal, sur le plan de la justice sociale, d'hériter d'eux . . .

| La quasi-totalité de leur fortune | 44 |
|---|---|
| La plus grande partie | 31 |
| Une faible partie | 14 |
| Pratiquement rien | 4 |
| Sans opinion | 7 |

* Le total est supérieur à 100%, car les personnes interrogées ont pu donner deux réponses.

120

Sur les 4 150 000 jeunes Français qui ont entre 15 et 20 ans, 2 700 000 environ continuent leurs études. Les autres sont entrés progressivement dans la vie active. Ceux qui n'exercent pas encore un métier reçoivent de
5 l'argent de poche de leurs parents. Ou bien — et le cas est de plus en plus fréquent — ils travaillent pendant les vacances : 38% des jeunes déclarent exercer des métiers temporaires. Ces activités périodiques, il est vrai, concernent plus les garçons (73%) que les filles
10 (46%). Au total, les jeunes de 15 à 20 ans disposent d'un budget « argent de poche » de plus de 5 milliards° de francs chaque année.                    *billion*

Qu'est-ce que les jeunes font de leur argent ? Soixante-quatorze pour cent de ceux qui exercent un mé-
15 tier et qui habitent avec leur famille, donnent une partie de leur salaire à leurs parents. Les filles le font plus volontiers° que les garçons, et c'est dans les familles    *willingly* ouvrières que cette pratique est la plus généralisée. Si les jeunes avaient plus d'argent, qu'en feraient-ils ?
20 Vingt-deux pour cent achèteraient une voiture mais 19% économiseraient cet argent supplémentaire. Après la voiture et les économies viennent les vêtements — surtout chez les filles — et la moto qui est la grande passion des garçons ; les voyages, le logement,

les appareils photos, caméras et électrophones, les livres et les disques ont aussi une certaine importance.

Les jeunes aiment avoir de l'argent et ils l'utilisent
sans complexes. Mais — et c'est là, la révélation la
5 plus importante de ce sondage — ils sont convaincus
que ce qui compte le plus, c'est de trouver un métier
qu'ils aiment. Voici quelques exemples qui illus-
trent bien cette attitude :

Quatre lycéens de Savoie : « Nous donnerons tou-
10 jours la préférence à un métier un peu moins payé
mais un peu plus intéressant. Par exemple, être moniteur de ski dans nos montagnes, même si on gagne
plus comme professeur de tennis au bord de la mer. »

Jean-Marc, étudiant en médecine, fils de commer-     *shopkeeper*
15 çant :° « On choisit un métier pour la vie. S'ennuyer°     *be bored*
pendant 40 ans serait horrible. »

Pierre, un jeune agriculteur des Pyrénées : « Entre l'intérêt et l'argent, je préfère l'intérêt. On ne peut
pas changer de métier tous les jours. Je suis attaché à
20 ma vallée, même si mon travail est très dur. »

Après l'intérêt du travail (40%), ce qui est important pour les jeunes, c'est surtout l'amour (38%) et le
bonheur familial (28%).

Toutes ces statistiques montrent que les jeunes
25 d'aujourd'hui sont beaucoup moins préoccupés par
l'argent que leurs parents. L'argent pour eux est surtout synonyme de plaisirs. Il représente seulement se-
condairement la sécurité, la liberté et l'indépendance.
Et seulement 2% des jeunes voient l'argent comme un
30 moyen d'acquérir la puissance.°     *power*

Dans l'ensemble, les jeunes d'aujourd'hui pensent
que « l'argent ne fait pas le bonheur », mais ils savent
que l'argent est nécessaire pour vivre. Ils savent aussi
qu'on ne peut pas faire fortune en partant de zéro et
35 ils sont résignés à avoir seulement assez d'argent pour
vivre agréablement, c'est-à-dire « avoir une maison
assez grande, avec une grande salle de bain, un frigo,
une machine à laver, bien manger, aller en vacances
dans différents pays, avoir la télé et pouvoir s'acheter
40 les petites choses dont on a envie . . . » Cette atti-

tude est bien loin de la révolte contre la société de consommation.° Mais loin aussi de la course à l'argent.° Les jeunes veulent de l'argent pour vivre ; ils ne veulent pas vivre pour l'argent. Cette attitude est
5 reflétée dans ce commentaire d'un garçon de 18 ans : « Je ne souhaite° pas être riche, je souhaite avoir de l'argent. C'est différent. »

*consumer society*
*being money hungry*

*wish*

Extrait et adapté d'un article de *l'Express* par Michèle Cotta

# ACTIVITÉS

## A. *COMPRÉHENSION DU TEXTE*

*Complétez les phrases suivantes selon les renseignements donnés dans le texte.*

1. *L'Express* a organisé un sondage pour . . .
2. Les jeunes Français qui continuent leurs études reçoivent de l'argent de poche de leurs parents ou bien ils . . .
3. S'ils avaient plus d'argent, les jeunes Français achèteraient . . .
4. Pour les jeunes Français, ce qui est le plus important dans le choix d'une profession, c'est . . .
5. Les quatre lycéens de Savoie qui ont été interviewés préfèrent être moniteurs de ski plutôt qu'être . . .
6. Jean-Marc pense qu'il est important de choisir un métier intéressant parce que . . .
7. Ce qui est le plus important pour les jeunes Français, c'est d'avoir un travail intéressant mais ils accordent aussi une grande importance à . . .
8. Pour 56% des jeunes Français, l'argent représente surtout . . .
9. Les jeunes Français savent que l'argent ne fait pas le bonheur, mais ils veulent avoir assez d'argent pour . . .
10. Les jeunes Français ne cherchent pas à avoir de l'argent à tout prix, mais ils ne sont pas en révolte contre . . .
11. Ils pensent qu'il est bon d'habituer les enfants à . . .
12. Les jeunes Français pensent que, si leurs parents étaient riches, il serait normal de . . .

## B. *SONDAGE D'OPINION*

*Quelle place a l'argent dans votre vie et dans celle des jeunes Américains ?*

*1. Répondez aux questions qui ont été posées aux jeunes Français. Est-ce que vous êtes d'accord avec la majorité d'entre eux ? Si vous voulez, discutez vos réponses avec d'autres étudiants de votre classe.*

*2. Posez ces mêmes questions à d'autres jeunes Américains. Si vous voulez, vous pouvez additionner les résultats, les convertir en pourcentages et comparer les attitudes de vos compatriotes à celles des Français.*

## C. *ÊTES-VOUS D'ACCORD ?*

*Corrigez la phrase si vous n'êtes pas d'accord avec l'opinion exprimée.*

1. Il faut de l'argent pour vivre, mais il ne faut pas vivre pour l'argent.
2. L'argent est le meilleur moyen d'acquérir la puissance.
3. C'est normal pour un jeune qui habite avec sa famille de donner une partie de son salaire à ses parents.
4. Il faut économiser quand on est jeune pour se préparer à l'avenir.
5. Les parents américains ne donnent pas assez d'argent de poche à leurs enfants.
6. Il n'est pas juste que les enfants des riches héritent de la fortune de leurs parents.
7. Il est encore possible dans notre pays de devenir riche en partant de zéro.
8. Les cartes de crédit devraient être interdites car on perd le sens de la valeur de l'argent.
9. Il est préférable d'avoir un métier intéressant que de gagner beaucoup d'argent.
10. L'argent est fait pour être dépensé ; il est ridicule de faire des économies.

11. Avec de l'argent, on peut avoir tout ce qu'on veut.

12. Les jeunes d'aujourd'hui n'ont pas le sens de la valeur de l'argent.


## D. VIVRE AGRÉABLEMENT

*Une jeune Française a dit : « Je veux avoir assez d'argent pour vivre agréablement. C'est-à-dire, avoir une maison assez grande, avec une grande salle de bain, un frigo, une machine à laver, bien manger, aller en vacances dans différents pays, avoir la télé et pouvoir s'acheter les petites choses dont on a envie . . . »*
*Êtes-vous d'accord ou non avec cette opinion ? Inspirez-vous de cette description et décrivez ce qui constitue pour vous une vie confortable.*


## E. ÉCONOME OU DÉPENSIER ?

*Avez-vous tendance à être économe ou dépensier / dépensière ? Pour le savoir, répondez aux questions suivantes et consultez l'interprétation qui suit. Les choix proposés représentent deux attitudes extrêmes. Choisissez l'option qui en général est la plus représentative de votre attitude.*

1. Quand vous avez de l'argent, en général est-ce que . . . ?

    a. vous le mettez à la banque
    b. vous le dépensez immédiatement

2. Est-ce que vous préférez avoir . . . ?

    a. une petite voiture qui consomme peu d'essence
    b. une grosse voiture qui consomme beaucoup d'essence

3. Vos cheveux sont trop longs, est-ce que. . . ?

    a. vous allez chez le coiffeur
    b. vous vous coupez les cheveux vous-même ou vous demandez à un(e) ami(e) de le faire

4. Vous avez besoin d'aller au magasin qui est à 500 mètres de chez vous. Est-ce que . . . ?

    a. vous y allez à pied ou à bicyclette
    b. vous prenez votre voiture ou votre moto

5. Est-ce que vous allez au restaurant . . . ?

    a. seulement quand c'est nécessaire
    b. chaque fois que vous en avez envie

6. Vous avez quelques heures de loisir, est-ce que vous préférez . . . ?

    a. faire une promenade dans le parc ou dans la ville
    b. aller au cinéma ou au café

7. Quand votre voiture ne marche pas, est-ce que . . . ?

    a. vous essayez de la réparer vous-même
    b. vous allez chez le garagiste

8. Pendant vos vacances, est-ce que . . . ?

    a. vous faites du camping
    b. vous allez à l'hôtel

9. Quand vous avez envie de lire un livre est-ce que . . . ?

    a. vous allez à la bibliothèque
    b. vous l'achetez dans une librairie

10. Quand vous avez besoin de nouveaux vêtements, est-ce que vous les achetez . . . ?

    a. quand ils sont vendus à prix réduits
    b. quand vous en avez envie

11. Vous devez choisir un appartement, est-ce que vous choisissez . . . ?

    a. un appartement modeste mais confortable
    b. un appartement luxueux qui possède tout le confort moderne

12. Il y a quelque chose dont vous avez vraiment envie mais votre budget ne vous permet pas de l'acheter en ce moment. Est-ce que . . . ?

   a. vous attendez d'avoir assez d'argent
   b. vous l'achetez à crédit ou vous empruntez de l'argent

13. Comment organisez-vous votre budget ? En général, est-ce que . . . ?

   a. vous établissez votre budget à l'avance
   b. vous dépensez votre argent sans compter

14. Est-ce que vous achetez de nouveaux vêtements . . . ?

   a. seulement quand vous en avez besoin
   b. chaque fois que la mode change

15. Pour rester en contact avec vos amis qui habitent dans une autre ville, en général, est-ce que . . . ?

   a. vous écrivez des lettres
   b. vous téléphonez

16. Vous aimez écouter de la musique. Est-ce que . . . ?

   a. vous vous contentez d'écouter la radio
   b. vous achetez les disques qui vous plaisent

*Combien de fois avez-vous choisi la réponse « a » ?*

TOTAL  INTERPRÉTATION

13-16   Vous êtes très économe et c'est une bonne chose, mais il faut aussi savoir s'offrir de petits plaisirs de temps en temps.

9-12   Vous êtes économe, mais sans excès. Si un jour un de vos amis a besoin d'argent, il saura où en trouver.

5-8   Vous aimez dépenser sans compter, mais ne vous présentez pas comme candidat au poste de ministre des finances !

0-4   Est-ce que dépenser de l'argent fait le bonheur ? Si oui, vous devez être en extase !

## F. *LE BUDGET DE L'ÉTUDIANT*

*Quand on établit son budget, il y a toutes sortes de dépenses qu'il faut prendre en considération. Quelles sont pour les étudiants les dépenses les plus importantes ? Mettez-les dans l'ordre d'importance qu'elles ont dans le budget d'un étudiant américain typique.*

_____ distractions (cinéma, sports, concerts, sorties avec les amis, etc.)

_____ achat de provisions

_____ repas aux restaurants

_____ appartement ou chambre

_____ gaz, électricité, etc.

_____ disques

_____ livres

_____ revues et journaux

_____ vêtements

_____ voyages

_____ papier, crayons, stylos, etc.

_____ shampooing et autres produits de beauté

_____ cigarettes et autres petites dépenses

_____ ?

## G. *VIVENT LES DIFFÉRENCES !*

1. L'argent fait le bonheur. Commentez et discutez.

2. Les jeunes devraient-ils recevoir de l'argent de poche de leurs parents ou devraient-ils travailler pour leur argent de poche ?

3. Beaucoup d'étudiants français reçoivent des allocations du gouvernement. Pensez-vous que le gouvernement américain devrait subventionner les études de tous les étudiants ?

4. L'argent est la source de tous nos malheurs. Commentez.

5. Les pays riches devraient-ils partager leurs ressources avec le reste du monde ?

# 15

# *Les Gens du cirque*

« Quoi ? Un cirque ? De nos jours ! Eh bien, ça
alors ! . . . On croyait que ça n'existait plus », pensent
les gens qui regardent passer le petit convoi blanc du
cirque Morallès. Eh oui, il existe encore un petit
5 cirque : c'est le cirque Morallès. Trois gros camions,
trois camionnettes, trois caravanes,° dix adultes, cinq
enfants, deux poneys, un singe° et deux chiens. Et un
petit chapiteau° superbe, rouge et jaune. Quatre
mâts°, dix mètres de hauteur, dix-huit mètres de dia-
10 mètre, sept cents places.

Neuf heures et demie. Finalement on arrive à desti-
nation. Il faut planter le chapiteau. C'est toujours
Christian Mujica, le patron du cirque, qui plante le
premier piquet et indique où doivent être placés les
15 mâts. C'est à la fois un rite et un rythme. Après ça,
tout le monde se met au travail. Le montage du chapiteau ne prend que trois heures. Le soir, quand le spectacle est fini, on le démonte et le lendemain matin on
repart.

*trailers*
*monkey*
*circus tent*
*poles*

Christian Mujica est un personnage fascinant. Quarante-deux ans, d'origine espagnole. L'œil noir, vif° et perçant. Rien ne lui échappe. Les cheveux longs et abondants. Pourquoi est-il devenu patron de 5 cirque ? Il a commencé par faire un numéro° d'acrobate, puis un numéro de couteaux.° Et finalement, il a pris la direction du cirque.

    Pendant qu'on monte le chapiteau, Monique, la femme de Christian, distribue des brochures publici- 10 taires à la porte des écoles. Elle aussi, c'est un personnage. Trente-six ans, ancienne couturière.° Elle fait tout dans le cirque. Le matin, vers six heures, elle prépare le café. Ensuite, quand on repart, elle conduit le camion qui porte le chapiteau. Dans la matinée, elle 15 fait le tour de la ville pour annoncer l'arrivée du cirque. Le soir, elle présente le spectacle et change quatre fois de costume. En plus, elle fait elle-même un numéro de jonglerie.° Puis, après le spectacle, elle fait de nouveau la cuisine.

20     De toute manière, dans le cirque Morallès, tout le monde fait tout. Le programme qui coûte 1 franc annonce : « Fouets,° lassos, jeux du Far West par les Rudy John. » « Les Rudy John viennent directement du Far West », annonce la speakerine. C'est vrai, en 25 partie : ils viennent de l'Ouest de la France. Les Rudy John s'appellent en réalité Didi et Dany. Didi est un merveilleux personnage débordant° de joie de vivre. Dany, sa femme, a des yeux bleus verts qui changent de couleur selon les saisons. Ils ont fait ensemble des 30 numéros extraordinaires de cowboys et de funambules° en Espagne, au Maroc, en Algérie, en Tunisie, en Grèce et en Yougoslavie. Pendant les transferts, Didi conduit une voiture bleue suivie d'une caravane blanche. Dans sa voiture, il y a un matériel incroyable. 35 C'est lui qui fabrique les bicyclettes pour rouler sur le fil° là-haut sous le chapiteau. Il m'a dit, « Moi, je suis fou du cirque. On a du travail bien sûr, mais on est libre. » Dany est un peu moins enthousiaste pour le cirque mais, l'autre matin, elle apprenait à sa fille Ly- 40 die à faire du trapèze. Je lui ai demandé : « Alors, on

*bright*

*circus act*
*knives*

*dressmaker*

*juggling*

*whips*

*overflowing*

*tightrope walkers*

*wire*

aime le cirque maintenant ? » Elle m'a répondu : « Ma fille n'aime que ça ! »

Et puis, il y a aussi les clowns. Ce sont des Belges, Jean et Roland. Ils ont commencé à Bruxelles. Ils expli-
5 quent : « Depuis l'âge de quinze ou seize ans, on était des clowns amateurs pour amuser les copains. Puis on est devenu semi-professionnels. Ensuite Mujica nous a contactés. » Roland s'est marié sous le chapiteau avec Marie Christiane qui est institutrice.° Elle
10 viendra l'année prochaine rejoindre le cirque. En plus de leurs numéros, les clowns sont l'un publiciste, l'autre électricien. Il y a aussi Dominique, 26 ans, qui était autrefois éducateur à Valence. Évidemment il n'est pas seulement clown, il est aussi « avant-courrier » ; ça
15 veut dire qu'il prépare tous les itinéraires. C'est aussi lui qui prend contact avec la presse.

°elementary school teacher

Et puis, il y a les gosses.° Les gosses aussi font tout. Ils font leurs études par correspondance. Ils participent au spectacle. Par exemple, Carole, 8 ans, che-
20 vauche° le poney et Sylvie, 14 ans, qui a passé deux mois à l'École nationale du Cirque, fait un numéro de trapèze sous l'œil vigilant de papa. Les petits, Didier et Lydie, ramassent° les papiers.

°kids

°rides

°pick up

C'est un cirque rustique et modeste, un petit
25 cirque plein de joie. Si vous avez de la chance, vous le rencontrerez peut-être sur la route de vos vacances.

Extrait et adapté d'un article du *Nouvel Observateur* par Yvon le Vaillant

# ACTIVITÉS

## A. COMPRÉHENSION DU TEXTE

*Répondez aux questions suivantes selon les renseignements donnés dans le texte.*

1. De nos jours, est-ce qu'on voit souvent des cirques ambulants sur les routes de France ?
2. Est-ce que le cirque Morallès est un grand cirque qui peut recevoir deux ou trois mille spectateurs ?
3. Quand il est l'heure de planter le chapiteau, qui dirige les opérations ?
4. Quel était le métier de Monique Mujica avant de devenir artiste de cirque ?
5. En plus de son numéro de jonglerie, quelles sont les fonctions de Monique ?
6. Est-ce que les Rudy John sont américains ?
7. Est-ce que Dany et son mari Didi partagent le même enthousiasme pour le cirque ?
8. Comment Jean et Roland sont-ils devenus clowns professionnels ?
9. Quelles sont les autres fonctions de Jean et Roland ?
10. Autrefois Dominique était éducateur, et maintenant, qu'est-ce qu'il fait ?
11. Pourquoi est-ce que les enfants font leurs études par correspondance ?
12. Tout le monde travaille dur dans le cirque Morallès ; quelles sont les responsabilités des enfants ?

un avaleur
de feu

une jongleuse

une equilibriste

un somnabule

une dompteuse

un clown

## B. LES GENS DU CIRQUE

*Regardez les illustrations et répondez aux questions suivantes.*

1. Si vous travailliez dans un cirque, quel numéro aimeriez-vous faire et pourquoi ?

2. Si vous étiez directeur de cirque, quel numéro donneriez-vous à votre meilleur(e) ami(e) et pourquoi ?

3. Lequel des numéros de cirque vous semble le plus dangereux et pourquoi ?

4. À votre avis, lequel de ces numéros nécessite le plus de talent et pourquoi ?

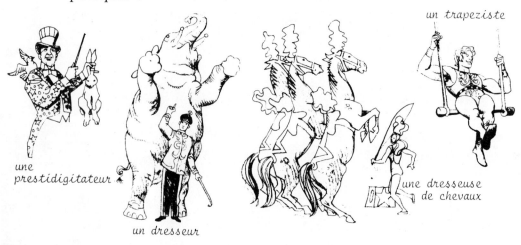

un trapeziste

une
prestidigitateur

un dresseur

une dresseuse
de chevaux

## C. *ÊTES-VOUS D'ACCORD ?*

*Corrigez la phrase si vous n'êtes pas d'accord avec l'opinion exprimée.*

1. Le cirque est une excellente distraction pour les enfants.
2. Même s'ils ne veulent pas l'admettre, la plupart des gens adorent le cirque.
3. Quitter la maison familiale pour devenir artiste de cirque est un rêve que nous avons tous eu pendant notre enfance.
4. On n'a pas besoin de talent spécial pour être clown.
5. Les cirques sont moins populaires maintenant parce que les gens de notre époque sont trop sophistiqués pour ce genre de spectacle.
6. Les ménageries et les numéros d'animaux qu'on voit au cirque sont une forme inacceptable de cruauté envers les animaux.
7. Les numéros que les spectateurs apprécient le plus sont les numéros d'acrobates.
8. Il n'y a rien de plus ridicule qu'un singe déguisé en personne.
9. Les enfants du cirque ont une vie et une éducation plus riches que s'ils allaient régulièrement à l'école.
10. Pour pouvoir travailler dans un cirque, il faut être capable de faire n'importe quoi.

# D. *POUR UN JOUR*

*Si vous pouviez changer d'identité pour un jour, qu'est-ce que vous aimeriez être et pourquoi ?*

|  |  |  |
|---|---|---|
|  | clown |  |
|  | sénateur |  |
|  | président(e) |  |
|  | acteur / actrice |  |
|  | cowboy |  |
|  | acrobate |  |
|  | danseur / danseuse |  |
| J'aimerais être . . . | parachutiste | parce que . . . |
|  | trapéziste |  |
|  | pilote |  |
|  | astronaute |  |
|  | matador |  |
|  | footballeur |  |
|  | médecin |  |
|  | ? |  |

# E. *AVANTAGES ET DÉSAVANTAGES*

*Chaque situation présente des avantages et des désavantages. Quels sont pour vous les avantages et les inconvénients des situations suivantes ? Créez des phrases sur le modèle donné.*

EXEMPLE : Quand on travaille dans un cirque, on a beaucoup de travail, bien sûr, mais on est libre.

1. Quand on est étudiant . . .
2. Quand on est marié . . .
3. Quand on est célibataire . . .
4. Quand on a une profession . . .
5. Quand on est pauvre . . .
6. Quand on est riche . . .

7. Quand on est jeune . . .

8. Quand on est vieux . . .

9. Quand on habite à la campagne . . .

10. Quand on habite à la ville . . .

11. Quand on est en vacances . . .

12. ?

## F. VIVENT LES DIFFÉRENCES !

1. Êtes-vous jamais allé(e) au cirque quand vous étiez enfant ? Racontez vos souvenirs.

2. Le cirque évoque souvent une image de liberté et de fantaisie. Pourquoi ?

3. Quels sont les avantages et les désavantages de la vie d'artiste de cirque ?

4. Les artistes sont très sensibles aux applaudissements du public. Est-ce que nous avons tous besoin de compliments et de certaines formes d'admiration ?

5. Pourquoi est-ce que le public aime les clowns ?

# 16

# La Télévision, école du crime ?

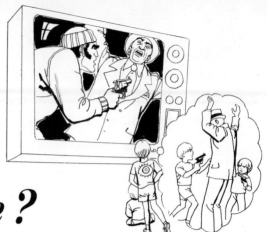

Le drame qui suit se passe à Dijon. C'est un drame des temps modernes et de la civilization urbaine. Mais le plus triste, c'est que cette histoire est vraie.

Le premier suspect est le cadre même° de l'action : *setting itself*
5 des immeubles° construits par des architectes futuris- *buildings*
tes et destinés à loger le plus grand nombre de gens possible sur la plus petite surface possible. Des immeubles confortables mais sans âme,° un univers de ci- *soul*
ment où il manque cet élément mystérieux qui faisait
10 de nos villages d'autrefois un monde stable et ras-surant.

Le deuxième suspect, c'est la télévision. Une télévi-sion où l'on voit de plus en plus de violence, où les exploits des gangsters semblent souvent glorifiés,
15 même s'ils finissent toujours par être justement punis.

Les acteurs de ce drame moderne sont des enfants. Ils sont assis devant le poste de télévision dans l'appar-tement de leurs parents. Ils regardent un film policier. Ils observent avec attention les gestes d'un homme en
20 train de cambrioler° un appartement. Pas un détail ne *burglarize*
leur échappe. Devant le poste, il y a Marc, onze ans et demi, André et Louis, ses deux frères, 9 et 8 ans, et sa petite sœur, Anne-Marie. Ces enfants sont des cam-brioleurs. Voici le récit de leurs tristes exploits.
25 L'après-midi du 14 avril, Marc, André, Louis et Anne-Marie pénètrent dans la villa d'un jeune couple

et dévastent l'appartement. Le soir du lundi 21 avril, les quatre enfants réussissent à pénétrer dans les bureaux de la Compagnie Strauss. Ils jouent avec les machines à écrire et à calculer et mettent dans leurs po-
5 ches les 350 francs qui se trouvent dans la caisse.° — *cash register*

Le mercredi 23 avril, leurs jeux deviennent plus cruels. Dans la maison d'une veuve,° Marc trouve une carabine. Il la charge et tue la chienne « Belle », une beagle de 4 ans. — *une femme dont le mari est mort*

10 Le vendredi 2 mai, ils pénètrent dans la maison des Paulin et essaient de percer le coffre-fort° avec un chalumeau.° Ils sont surpris par M. et Mme Paulin qui rentrent du restaurant. « Ce sont des enfants ! » s'écrie la femme. Le mari essaie de téléphoner à la
15 police. Mais Marc, imitant calmement les gestes des gangsters de la télévision, coupe la communication avec son doigt.° Pendant ce temps, les jeunes cambrioleurs s'enfuient.° — *safe* — *blow torch* — *finger* — *flee*

Le 6 mai, à 12H30, Marc et Anne-Marie montent sur
20 le toit° d'un supermarché et s'introduisent à l'intérieur par un tuyau d'aération.° Brusquement, le gardien, M. Berger qui finit son déjeuner, est alerté par un bruit suspect. Il se précipite vers les bureaux et aperçoit les jeunes cambrioleurs. Il essaie de les pour-
25 suivre. Trop tard : ils ont déjà gagné le toit par le tuyau d'aération. C'est dans ce tuyau que le gardien trouve une des chaussures d'Anne-Marie. Quelques minutes plus tard, le patron d'un café voisin voit entrer deux enfants. Le patron remarque que la petite
30 fille est toute noire de poussière° et qu'il lui manque une chaussure. C'est grâce à cette chaussure que les policiers ont pu retrouver les enfants. — *roof* — *ventilation duct* — *dust*

Le mercredi 14 mai, les inspecteurs de police viennent chercher les enfants. Un mercredi, parce que c'est
le jour où les enfants ne vont pas à l'école.

Qui dans cette triste histoire est responsable ? Les
5 enfants eux-mêmes ? La négligence des parents ? Ou
bien, est-ce l'inhumanité du modernisme et la violence à la télévision qui sont à blâmer ? Personne ne
peut le dire. Ce qui est certain pourtant, c'est que c'est
en regardant la télévision que ces enfants ont appris
10 comment forcer un coffre-fort et comment pénétrer
dans un appartement.

Les quatre enfants ont été rendus à leurs parents.
Ensuite le juge d'enfants décidera s'ils sont coupa-
bles° ou non coupables. Leur cas est un exemple ty-      *guilty*
15 pique d'un problème qui est le même à Chicago et à
New York comme à Paris et à Dijon : chaque fois que
la concentration humaine augmente, le taux° relatif de      *rate*
délinquance augmente aussi. C'est mathématique.
Tous les commentaires qu'on peut faire sur ce triste
20 drame n'y changeront rien.

Extrait et adapté d'un article de *Paris Match* par L. Masurel

# ACTIVITÉS

## A. *COMPRÉHENSION DU TEXTE*

*Indiquez si la phrase est vraie ou fausse. Si le sens de la phrase est faux,
corrigez-le.*

1. Le drame dont il est question dans cet article est une histoire
   vraie.

2. Les enfants habitent dans une jolie villa située au bord de la
   mer.

3. Les deux principaux suspects dans ce drame sont la télévision et la vie dans les grands immeubles modernes.

4. Les villages d'autrefois constituaient un monde dangereux et sans âme.

5. La télévision peut avoir une mauvaise influence sur les enfants parce qu'on y montre trop de violence.

6. Marc, André, Louis et Anne-Marie regardent seulement les programmes spéciaux pour les enfants.

7. Le 14 avril, les enfants sont allés rendre visite à leurs grands-parents.

8. Quand ils ont pénétré dans les bureaux de la Compagnie Strauss, les enfants ont joué avec les machines mais ils n'ont rien pris.

9. Mme Paulin a été très surprise quand elle a vu que les cambrioleurs étaient des enfants.

10. Quand M. Paulin a essayé de téléphoner à la police, Marc a eu très peur et il a perdu son calme.

11. Les enfants sont entrés dans le supermarché par la porte d'entrée que le gardien avait laissée ouverte.

12. C'est grâce à la chaussure qu'Anne-Marie a laissée dans le tuyau d'aération que la police a pu retrouver les coupables.

13. Les inspecteurs sont venus chercher les enfants pendant qu'ils étaient à l'école.

14. L'auteur pense que c'est à cause du mauvais exemple de leurs parents que les enfants sont devenus cambrioleurs.

15. Le juge n'a pas encore décidé si les enfants sont coupables ou non coupables.

UN UNIVERS DE CIMENT . . .

# B. *LA TÉLÉ*

*Voici les programmes qui ont été présentés à la télévision française le dimanche 11 août. Consultez la liste des émissions et répondez aux questions suivantes.*

## 1re CHAINE

**8 H. 55.** — 24 HEURES SUR LA UNE.

**9 H. 00** — TOUS EN FORME.

**9 H. 15.** — EMISSIONS RELIGIEUSES.
**9 h. 15 :** A Bible ouverte. — **9 h. 30 :** Orthodoxie. — **10 h. :** Le jour du Seigneur. — **11 h. :** Messe à Locmariaquer.

**12 H. 00.** — LA SEQUENCE DU SPECTATEUR.
Avec des extraits de « Le Parrain », de Francis Ford-Coppola, « La Coqueluche », de Christian-Paul Arrighi, « Pleure pas la bouche pleine », de Pascal Thomas.

**14 H. 30.** — MIDITRENTE - ETE.
Une emission de Jean-Pierre Renard en différé de Pont-Aven. Présentation de Danièle Gilbert. Avec. Adamo et Alain Barrière.

**13 H. 00.** — 24 HEURES SUR LA UNE.

**13 H. 20.** — REPONSE A TOUT.
Le jeu d'Henri Kubnick.

**13 H. 40.** — SECURITE ROUTIERE.
La fatigue au volant.

**13 H. 45.** — D'HIER ET D'AUJOURD'HUI.
Une émission de Jacques Bonnecarrère consacrée à Nana Mouskouri. Interview de Georges de Caunes.

**14 H. 30.** — SPORTS-ETE.
Le docteur Futs, Nicole Duclos et Michel Clare sont les invités de l'émission de Léon Zitrone. Avec Colette Renard, Guy Monfaur, Jean Vallée, Herbert Pagani, le Pop Concerto Orchestra.
**LES SPORTS.** — **Athlétisme : Allemagne de l'Ouest-U.R.S.S.-France, deuxième journée en direct de Stuttgart (Commentaires de Claude Maydieu et Denis Ferdet). ● Hippisme : Coupe des nations à Dublin.**

**17 H. 05.** — « SCOTLAND YARD CONTRE X ».
Un film de Basil Dearden (1961). Avec Stewart Granger (John Brent), Haya Harareet (Nicole), Bernard Lee (l'inspecteur-chef Hanbury), Hugh Burden (Charles Standish), Lee Montague (l'inspecteur Henderson), etc.
**La succursale anglaise d'une compagnie de navigation américaine est tenue par Charles Standish et John Brent. Un important représentant de la compagnie arrive en inspection. C'est le jour que choisit Nicole, la femme de Brent, pour quitter son mari...**

**18 H. 40.** — LA FRANCE DEFIGUREE.
Une emission de Michel Péricard et Louis Bériot. Une enquête d'Yves Goumot sur les côtes françaises.

**19 H. 10.** — LES MUSICIENS DU SOIR.
Serge Kauffman accueille la Philharmonie de Chatenay-Malabry (Œuvres de Johann Strauss, Grieg, Ruelle).

**19 H. 15.** — 24 HEURES SUR LA UNE.

**20 H. 15.** — SPORTS - DIMANCHE.

**20 H. 45.** — « QUELQU'UN DERRIERE LA PORTE ».
Un film de Nicolas Gessner (1971). Avec Charles Bronson (l'inconnu), Anthony Perkins (Laurence Joffroy), Jill Ireland (Françoise Joffroy), Henri Garcin (Paul Damien), Andriano Magestretti (Andrew), Agathe Natanson (Lucy), etc.
**Un pêcheur conduit un homme au comportement curieux à la clinique du docteur Laurence Joffroy, chirurgien spécialiste du cerveau. Le pêcheur a trouvé l'inconnu errant en pleine nuit sur une route. L'homme est amnésique. Cela donne a Joffroy une étrange idée...**

**23 H. 05** — 24 HEURES DERNIERE.

## 2e CHAINE

**15 H. 30.** — « LE JUSTICIER DE L'OUEST ».
Un western d'Edward Ludwig (1964). Avec Rory Calhoun (Blaine Madden), Rod Cameron (Ben Corey), Ruta Lee (Marleen), Rod Lauren (Juan), etc.
**Un aventurier, Blaine Madden, revient à Baxter après des années d'absence. Le sherif Ben Corey, qui est son ami, lui demande de se tenir tranquille. Le jour même au saloon, à la suite d'une rixe, le père de Madden est abattu par deux hommes...**

**17 H. 00.** — LES SECRETS DES CHEFS-D'ŒUVRE.
L'émission de Madeleine Hours est aujourd'hui consacrée à Eustache Le Sueur.

**17 H. 30.** — TELE - SPORTS.
**Jumping : Concours hippique de Dublin. ● Football : Nice-Rennes, Reims-Paris-Saint-Germain, Nantes-Nimes, Saint-Etienne-Monaco. ● Parachutisme : Jean-Claude Armaine, champion du monde.**

**18 H. 30.** — HOMMES DE LA MER.
Bruno Vailati nous emmène explorer l'épave de l' « Andrea Doria ».

**19 H. 30.** — ANIMAUX DU MONDE.
Le magazine de François de La Grange.

**20 H. 00.** — I.N.F. 2.

**20 H. 35.** — ATHLETISME.
Resumé des deux journées du match triangulaire Allemagne de l'Ouest - U.R.S.S. - France qui a eu lieu hier et aujourd'hui à Stuttgart (Commentaires de Jacques Perrot).

**22 H. 20.** — I.N.F. 2.

**22 H. 30.** — « ALICE'S RESTAURANT ».
Un film d'Arthur Penn (1966), d'après une chanson d'Arlo Guthrie. En version originale sous-titrée. Présentation de Claude-Jean Philippe dans le cadre du Ciné-Club. Musique d'Arlo Guthrie. Avec Arlo Guthrie (Arlo Guthrie), Pat Quinn (Alice), James Broderick (Ray), Geoff Outlaw (Roger), Michael McClanathan (Shelly), etc.

**Arlo Guthrie, chanteur de folksong, rend visite à ses amis Ray et Alice qui ont installé une société hippy dans l'église déconsacrée qu'ils ont achetée. Alice tient un restaurant près de l'église...**

**0 H. 20.** — FIN DU FILM.

# 3e CHAINE

**19 H. 35.** — INTER 3.

**19 H. 40.** — « LES ECLAIREURS DU CIEL ».
Cette série britannique de neuf films retrace les aventures vraies du « Pathfinder Force », un groupe de spécialistes du bombardement de la R.A.F., Tous étaient volontaires.
**Première émission : « Feu à bord ». Avec Robert Urquhart (le commander MacPhearson), Jack Watling (Doc Saxon).**

**20 H. 35.** — HOMMAGE AU PRINCE DE L'OPERETTE LUIS MARIANO.
Une émission d'Alain Tacvorian avec la participation de Lucienne Bernadac. Textes et présentation de Robert Beauvais. Cette émission, déjà présentée le 2 janvier 1972 sur la deuxième chaine, est rediffusée à l'occasion de l'anniversaire de la naissance de Luis Mariano. Le chanteur, mort le 10 juillet 1970, aurait eu 54 ans demain 12 août.

**22 H. 00** — INTER 3.

1. Quelle(s) émission(s) aimeriez-vous regarder ? Pourquoi ? Sur quelle chaîne et à quelle heure ?

2. Quels programmes y a-t-il pour ceux qui s'intéressent aux sports ? Est-ce qu'il y en a un que vous aimeriez regarder ?

3. Y a-t-il beaucoup d'émissions culturelles ? Est-ce qu'elles pourraient vous intéresser ?

4. À quelle heure sont les informations régionales et nationales ?

5. Quels sont les documentaires présentés ce jour-là ? Est-ce qu'il y en a un qui vous intéresse particulièrement ?

6. Est-ce qu'il y a d'autres programmes qui s'adressent à un public particulier ?

7. D'une façon générale, est-ce que les heures des programmes de télévision sont différentes en France et aux États-Unis ?

8. Est-ce que le choix de programmes est très différent ? Si oui, en quoi est-il différent ?

# C. OPINIONS

*Choisissez la ou les options qui correspondent à vos convictions person-
nelles ou bien créez une autre réponse. Si vous voulez, vous pouvez
discuter vos choix avec d'autres étudiants.*

1. Il n'est pas bon de laisser les enfants regarder la télévision tout
   le temps parce que . . .

   a. il y a trop de violence à la télévision
   b. la télévision tue l'imagination et la créativité des enfants
   c. les enfants croient tout ce qu'ils voient à la télévision
   d. ?

2. Le rôle principal de la télévision aux États-Unis est de . . .

   a. offrir une distraction facile et bon marché
   b. informer les gens sur les principaux événements et problè-
      mes politiques et sociaux
   c. donner la possibilité à chacun de se cultiver
   d. ?

3. Si je pouvais choisir les programmes qu'on montre à la télévision, j'éliminerais . . .

   a. tous les films policiers
   b. les jeux qui sont une insulte à l'intelligence des specta-
      teurs et des participants
   c. les reportages des matchs de football, de hockey et de
      basket-ball
   d. ?

4. Si je pouvais choisir les programmes qu'on montre à la télévision, j'ajouterais . . .

   a. des documentaries à la fois intéressants et éducatifs
   b. des reportages sportifs
   c. des pièces de théâtre et des films de qualité
   d. ?

5. On voit beaucoup de violence à la télévision parce que . . .

   a. nous vivons dans une société violente
   b. c'est ce que le public aime
   c. il est difficile de créer des programmes de qualité
   d. ?

6. La télévision peut être dangereuse parce que . . .

   a. nous l'utilisons comme un moyen d'échapper aux réalités de la vie et nous regardons n'importe quoi
   b. la télévision est une vaste entreprise publicitaire
   c. nous ne comprenons pas totalement ses effets et nous sommes les victimes d'un subtil conditionnement social et psychologique
   d. ?

7. La vie dans les grands immeubles peut causer toutes sortes de troubles psychologiques parce que . . .

   a. les gens n'ont plus le sens de la communauté
   b. ils constituent un univers froid et sans âme
   c. il y a trop de gens concentrés sur une trop petite surface
   d. ?

8. Les prisons ne réussissent pas toujours à réhabiliter les criminels parce que . . .

   a. les criminels ne pensent qu'à se venger contre la société
   b. les criminels sont des malades ; ils ont besoin d'être aidés, non d'être punis
   c. tout ce qu'ils apprennent en prison, c'est à devenir de meilleurs criminels
   d. ?

9. Les prisons sont nécessaires parce que . . .

   a. il faut protéger la société contre les criminels
   b. chacun doit être puni pour ses mauvaises actions
   c. il y a des criminels qui sont incorrigibles
   d. ?

10. La délinquance juvénile est un problème de plus en plus sérieux. Elle est due à . . .

    a. la désintégration de la famille
    b. l'absence de valeurs morales et religieuses dans notre société
    c. l'influence de la violence à la télévision, au cinéma et dans la presse
    d. ?

11. Quand un enfant a commis un acte de délinquance, il faut . . .

    a. punir les parents parce qu'ils sont les véritables responsables
    b. punir les enfants pour qu'ils apprennent à reconnaître le bien et le mal
    c. être indulgent parce que ce sont seulement des enfants, et essayer de les aider
    d. ?

# D. CHOIX D'UN APPARTEMENT

*Consultez les petites annonces qui suivent. Elles sont extraites d'un journal parisien. Remarquez les nombreuses abbréviations ; en voici quelques exemples : chbr = chambre ; poss. = possédant ; cuis. = cuisine ; mens. = mensuel (par mois) ; bns = salle de bains ; chauff. = chauffage ; asc. = ascenseur ; cft. = confort ; tt = tout ; p. = pièces.*

*Choisissez le ou les appartements qui vous semblent acceptables. Ensuite, téléphonez au propriétaire pour obtenir des renseignements supplémentaires. Un(e) autre étudiant(e) jouera le rôle du propriétaire et répondra à vos questions. Voici quelques exemples de questions que le client et le propriétaire peuvent poser.*

## Locations-Offres

**QUARTIER LATIN,** chbre conft dans famille pour étudiante ou employée recommandée. poss. cuis. 100 f. mens.

**BOULOGNE,** imm. nf., 3 pièces. cuis., bns. meublé, nf., 700 f mens.

**BOULOGNE,** studio meub. tt confort, tél., 500 mens. charges comprises.

**GARE NORD,** tt neuf, stud., cuis., bns., 600F mens.

**MONTMARTRE,** magn. stud., cuis. bns., balc., 580F.

**QUARTIER LATIN,** stud. rénové, tt cft., 700F mens.

**PIGALLE,** 3-4 p. meublé, cft. tél. chauff., 1,100f.

**BOULOGNE,** chbre étage élevé, chauff., asc., face au Bois.

**MONTREUIL,** 3 p. cuis. bns, balc., tél., vide-ordures, cave, imm. neuf. tt cft, 550f mens.

**QUARTIER LATIN,** chbre meublée, bns., cft., poss. cuis.

QUESTIONS DU CLIENT

—Est-ce que l'appartement est meublé (*furnished*) ?

—Combien de pièces est-ce qu'il y a ?

—Est-ce que les pièces sont grandes et bien aérées ?

—Est-ce que la cuisine est bien équipée ?

—Est-ce qu'il y a l'eau chaude et l'eau froide ?

—Est-ce que la salle de bains est assez grande ?

—Est-ce qu'il y a une douche (*shower*) et une baignoire (*bathtub*) ?

—Est-ce que vous acceptez les animaux ?

—Est-ce qu'il faut signer un bail (*lease*) ?

—À quel étage se trouve l'appartement ?

—Est-ce qu'il y a un ascenseur ?

—Est-ce que l'appartement est situé dans un quartier agréable ?

—Est-ce qu'il y a des magasins dans le quartier ?

—Est-ce que l'appartement se trouve près d'une ligne d'autobus ?

—Combien est le loyer (*rent*) ?

—Est-ce que le gaz et l'électricité sont compris ?

—?


QUESTIONS DU PROPRIÉTAIRE

—Est-ce que vous avez des lettres de référence ?

—Est-ce que vous êtes propre et ordonné(e) ?

—Est-ce que vous recevez souvent des visites ?

—Combien de temps pensez-vous rester ?

—Est-ce que vous avez des enfants ?

—Est-ce que vous avez un chien ou un chat ?

—Est-ce que vous payez votre loyer régulièrement ?

—Est-ce que vous êtes étudiant(e) ?

—Est-ce que vous avez un travail ?

—?

# F. VIVENT LES DIFFÉRENCES !

1. Quels sont vos programmes de télévision favoris ? Pourquoi ?

2. Pour ou contre la télévision ? Quels sont les arguments en faveur ? Quels sont les arguments contre ?

3. Est-ce qu'il doit y avoir une censure à la télévision ? Si oui, qui doit exercer cette censure ?

4. Quel est le problème principal des centres urbains à notre époque ?

5. Est-ce que la délinquance juvénile est aussi un problème aux États-Unis ? Quelles en sont les manifestations, les causes et les remèdes possibles ?

6. Est-ce que les parents sont responsables des actions de leurs enfants ?

7. Est-ce que les mêmes lois et les mêmes punitions doivent être appliquées aux enfants et aux adultes ? Devant la loi à quel âge devrait-on être responsable de ses actes ?

# 17

# *Devenez chasseur de sons*

Au lieu de vous contenter de cartes postales anonymes et sans caractère, pourquoi ne pas enrichir vos souvenirs de vacances de tous les bruits extraordinaires qui vous enchantent quand vous voyagez : la rumeur° d'un marché oriental, le chant du muezzin qui appelle les musulmans° à la prière, la joyeuse exubérance d'un carnaval le jour de Mardi Gras. Pour vos prochaines vacances, emportez non seulement votre appareil-photo,° mais aussi un magnétophone° et n'oubliez pas qu'il existe aussi de merveilleuses caméras sonores.° Voici quelques conseils techniques pour les débutants et des idées de sons à collectionner.

bruit confus
*Moslems*

*camera / tape recorder*

*sound movie cameras*

149

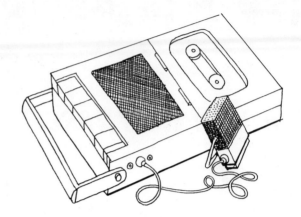

*Quel appareil choisir ?*

Il faut un appareil robuste, facile à transporter et facile à utiliser. L'idéal, c'est le magnétophone à cassette. Si vous avez moins de 500 F, choisissez un ma-
5 gnétophone à microphone incorporé. L'avantage est que vous pouvez opérer plus discrètement. La qualité de l'enregistrement° n'est pas extraordinaire mais elle *recording* est suffisante pour les conversations. Il existe aussi de merveilleux petits appareils de poche à micro incor-
10 poré qui vous permettent de passer inaperçu.° Si vous *unnoticed* avez plus de 500 F, vous pouvez acheter un magnéto-phone qui possède un micro incorporé et aussi un petit micro indépendant qui offrira un meilleur enre-gistrement.

15 *Que faut-il enregistrer ?*

Les guides qui vous font visiter les villes et les musées sont souvent des personnages° pittoresques. *characters* Leurs discours humoristiques vous laissent souvent au-tant de souvenirs que les ruines que vous avez visi-
20 tées. Ils sont toujours flattés d'être enregistrés.

Chaque ville a son atmosphère. Pour entendre les rumeurs de la ville, placez-vous loin des maisons et des voitures sur une hauteur de préférence. Les mar-chés offrent une multitude de bruits divers, une caco-
25 phonie de voix et de cris de marchands.

N'oubliez pas les bruits de la nature : les oiseaux, les insectes, les animaux. Il y a aussi le folklore, la riche variété des danses et des chants régionaux. Et les jeux, les matchs de football, par exemple, ou une
5 corrida . . .°

*bullfight*

*Quelques idées de reportage*

Dans un musée, placez-vous devant un tableau célèbre, la Joconde,° par exemple. Écoutez et enregis- *Mona Lisa* trez discrètement les conversations. Les commentaires
10 des visiteurs vous offriront sûrement l'occasion de rire.

Certains métiers sont en train de disparaître. Pourquoi ne pas demander à ces derniers artisans de parler de leur travail ? Vous pouvez enregistrer leurs souve-
15 nirs et les effets sonores de leur travail.

On n'apprend que par expérience. Quand votre oreille° sera éduquée, chaque jour, en marchant dans *ear* la rue, vous découvrirez tout un monde de bruits exceptionels que vous n'aviez jamais remarqués. Et
20 chaque jour de l'année pourra être aussi riche en découvertes qu'un jour de vacances dans un pays exotique.

Extrait et adapté d'un article de *Paris Match* par L. de Cambronne

# ACTIVITÉS

## A. COMPRÉHENSION DU TEXTE

*Complétez les phrases suivantes selon les renseignements donnés dans le texte.*

1. Si vous êtes fatigué(e) des cartes postales anonymes, pour changer vous pouvez . . .

2. Si vous allez à la Nouvelle-Orléans, à Québec ou à Nice le jour de Mardi Gras, vous verrez . . .

3. La prochaine fois que vous partirez en vacances, en même temps que votre appareil-photo, emportez aussi . . .

4. De préférence, il faut choisir un magnétophone . . .

5. Si vous voulez pouvoir enregistrer discrètement, il vaut mieux acheter . . .

6. Le désavantage du magnétophone à micro incorporé est que . . .

7. Les guides sont de bons sujets à enregistrer parce que . . .

8. Pour bien entendre les rumeurs typiques d'une ville, il vaut mieux se placer . . .

9. Si vous aimez les marchés, vous aurez l'occasion d'enregistrer . . .

10. D'autres possibilités pour de bons reportages sonores sont . . .

11. Si vous voulez vous amuser, allez dans un musée et . . .

12. Il est particulièrement intéressant d'enregistrer les commentaires des artisans parce que . . .

# B. *LES BRUITS QUI NOUS ENTOURENT*

*Nous sommes entourés d'une multitude de bruits plus ou moins agréables ou désagréables selon les circonstances. Répondez aux questions suivantes en indiquant vos préférences personnelles.*

1. C'est un beau matin de printemps. Vous ouvrez votre fenêtre. Que préférez-vous entendre ?

   a. Des oiseaux qui chantent.
   b. Votre voisin qui fait ronfler le moteur de sa motocyclette.
   c. ?

2. Pour vous réveiller le matin, quel bruit préférez-vous entendre ?

   a. Une musique douce.
   b. La voix de quelqu'un qui vous appelle gentiment.
   c. ?

3. Vous avez envie d'écouter la radio. Qu'est-ce que vous préférez écouter ?

   a. Un disque de rock.
   b. Une sonate de Chopin.
   c. ?

4. Quand vous entrez dans la classe de français, qu'est-ce que vous préférez entendre ?

   a. L'enregistrement d'un dialogue.
   b. Une chanson de Georges Moustaki.
   c. ?

5. Vous conduisez tranquillement votre voiture ; quel son est le plus désagréable à entendre ?

   a. Un bruit étrange dans votre moteur.
   b. La sirène d'une ambulance.
   c. ?

6. Vous avez décidé de passer la journée à ne rien faire et de rester au lit. Quel bruit est le plus agréable ?

   a. La pluie sur le toit.
   b. Des voix joyeuses d'enfants qui jouent dehors.
   c. ?

7. Vous essayez de vous endormir. Quel bruit est le plus intolérable ?

   a. Le « bzz-bzz » d'un moustique.
   b. Le « toc . . . toc . . . toc » des gouttes d'eau qui tombent dans le lavabo.
   c. ?

8. Vous campez dans une région isolée ; c'est le milieu de la nuit. Que préférez-vous entendre ?

   a. Le silence absolu.
   b. Le chant des insectes.
   c. ?

9. En hiver, quel bruit est le plus agréable ?

   a. Le crissement de la neige sous vos bottes.
   b. Les chansons de Noël.
   c. ?

10. Quand vous assistez à une conférence, qu'est-ce que vous préférez écouter ?

    a. Une personne dont la voix est forte et claire.
    b. Une personne dont la voix est douce et mélodieuse.
    c. ?

## C. *CHASSEUR DE SONS*

*Revenu(e) de vacances, vous remarquez que vous n'avez pas indiqué l'endroit où vous aviez enregistré vos cassettes. Vous êtes allé(e) :*

au marché
dans une école de cuisine
dans un magasin de vêtements
sur ia Côte d'Azur, au mois d'août
à un pique-nique au bord de la Seine
dans une banque
à la Comédie Française
au bureau de poste
à l'Opéra
au Palais de Versailles
à un match de football
dans un lycée
à une course cycliste
à une course d'automobiles

*Identifiez l'endroit précis où vous avez fait les enregistrements suivants.*

1. —Quel monde ! Il y a des bras et des jambes partout. Je crois qu'il y a plus de Parisiens ici qu'à Paris !
   —Tiens, regarde là-bas, juste au bord de l'eau ! Il y a quelqu'un qui s'en va ; allons vite prendre cette place.
   —Ouf ! Nous voilà installés. Quel temps magnifique ! Regarde comme le ciel est bleu . . . pas un nuage . . .
   —Oui, et ce soleil, cette mer si bleue . . . Dis, est-ce que tu aimerais dîner au restaurant ce soir ? J'ai découvert un petit restaurant formidable, au bord de l'eau, à quelques kilomètres de Nice.

2. —Les sauces sont le secret de notre art. Nous allons donc commencer par la sauce la plus simple, la sauce blanche. Mais n'oubliez pas que pour faire de la bonne cuisine, il ne suffit pas de mélanger ceci ou cela sans penser à ce qu'on fait. Ce qu'il faut surtout, c'est de la patience et l'amour du travail . . . Maintenant approchez, je vais vous montrer comment on procède.

3. —Dépêchons-nous, je ne veux pas être en retard.

—Mais je la connais par cœur, cette pièce. C'est au moins la quatrième fois que nous allons voir *Le Bourgeois Gentilhomme*.

—Oui, l'acteur qui joue le rôle de M. Jourdain est sensationnel.

—Jean, est-ce que tu as nos billets ? Donne-les à l'ouvreuse.

—Merci, monsieur, vos places sont au douzième rang. Voulez-vous me suivre ?

—Jean . . . N'oublie pas le pourboire !

4. —Les plus beaux artichauts de Bretagne ! Cinquante centimes la pièce. Allons, mesdames, messieurs, approchez ! Regardez les belles tomates. Elles viennent tout droit du Midi. Artichauts ! Tomates ! Haricots verts ! . . . Ah, madame, qu'est-ce que vous prendrez aujourd'hui ?

—Donnez-moi une livre de petits pois et un kilo de pommes de terre.

—Est-ce que vous voulez aussi une belle laitue ? Vous verrez, elle est tendre et . . .

—Non, merci, ce sera tout pour aujourd'hui.

VUE DU CHÂTEAU DE VERSEILLES

5. —Pardon, mademoiselle, combien est-ce pour envoyer un télégramme au Canada ?

—Ça dépend du nombre de mots.

—Oh, je ne sais pas exactement . . . . Quinze mots environ. Est-ce que l'adresse et la signature comptent aussi ?

—Oui, tous les mots comptent.

—Combien est-ce pour envoyer cette lettre ?

—Un franc dix . . .

6. —Ah, voilà le premier qui arrive, là-bas, au sommet de la colline !

—Oui, regardez, il y en a deux autres qui sont juste derrière lui. C'est le numéro 23 qui est en tête, je crois.

—Regardez, regardez ! Le deuxième essaie de le dépasser. Il s'approche de plus en plus. Ça y est. Ils sont côte à côte.

—Ils ne sont plus qu'à une centaine de mètres de la ligne d'arrivée . . . Ah, le 23 reprend la tête. Il pédale de toutes ses forces . . . Encore quelques mètres . . .

—Ça y est ! C'est le 23 qui a gagné.

7. —Messieurs, Mesdames, nous entrons maintenant dans les appartements de la reine. Vous remarquerez le style élégant et simple des meubles de cette époque. Il contraste avec la somptuosité du style que vous venez d'observer dans les appartements de Louis XIV . . . Comme vous le savez sans doute, la reine adorait la campagne et le roi lui avait fait construire une ferme dans le parc du château. Marie Antoinette passait donc une partie de son temps au Petit Trianon . . .

## D. CRÉATEUR DE SONS

*En vous inspirant des exemples de l'activité précédente, créez une conversation imaginaire. C'est aux autres étudiants d'identifier l'endroit et les circonstances dans lesquelles votre conversation a eu lieu.*

## E. PRÉSERVER LE PRÉSENT

*Si vous vouliez préserver certains bruits ou certaines conversations typiques de votre vie présente, pour les ré-écouter dans dix ans, que choisiriez-vous d'enregistrer ? Choisissez parmi la liste qui suit les trois enregistrements que vous auriez le plus de plaisir à ré-écouter.*

Les phrases et expressions typiques d'un de vos professeurs.

Les cris et les réactions des spectateurs à un match de football.

Une conversation sérieuse entre vous et vos meilleur(e)s ami(e)s.

Des exemples de publicité que vous entendez tous les jours à la radio ou à la télévision.

La voix d'un personnage célèbre.

Votre chanson préférée.

Les réactions de vos amis aux plaisanteries que vous leur avez faites le jour du 1er avril.

Un dîner avec votre famille.

Des réactions et commentaires de différents membres de votre famille quand ils ouvrent leurs cadeaux de Noël.

Un discours du Président.

La voix de vos grands-parents.

Vos impressions personnelles sur un sujet de votre choix.

# F. *VIVENT LES DIFFÉRENCES !*

1. Quels sont les cinq bruits que vous détestez le plus et les cinq bruits qui vous paraissent les plus agréables ? Pourquoi ?

2. Est-ce que dans notre société le bruit présente parfois un problème aussi sérieux que la pollution de l'air ? Justifiez votre opinion.

3. Imaginez que vous allez être exilé(e) pendant quelques mois sur une île déserte. Vous avez la possibilité d'emporter un magnétophone et deux cassettes. Qu'est-ce que vous allez enregistrer sur ces cassettes ? Pourquoi ?

4. Quels sont les sons les plus représentatifs de la culture américaine ?

CHOISISSEZ UN ENDROIT TRANQUILLE . . .

# 18

# *Le Prêt-à-manger*

« On ne mange plus, monsieur, on bouffe.° Tout
change et la cuisine avec. C'est normal : on mange
comme on vit. Et de nos jours, on ne vit plus. »

gulp food down

C'est le chef d'un grand restaurant parisien qui
5 parle ainsi. C'est vrai, les habitudes des Français sont
en train de changer. Manger n'est plus un rite. La
nécessité gouverne et la qualité est souvent sacrifiée.
On a encore l'occasion de faire quelques bons dîners
ici et là, mais d'une façon générale, nous allons de
10 plus en plus vers la restauration° collective, standardi-
sée et mécanisée. Le repas familial préparé avec soin°
et amour cède la place au hamburger et au poulet frit,
au « hot dog » et à la pizza.

food industry
care

Les Anglo-Saxons ont été les premières victimes
de cette révolution qui menace nos traditions culinai-
res. Mais aujourd'hui, la France, bastion traditionnel
de la bonne cuisine, n'a plus beaucoup de raisons de
5 se moquer des Anglais et des Américains.

   La nourriture° n'est plus une religion. Dans les *food*
familles, le repas du soir est pris de plus en plus vite
pour pouvoir regarder tranquillement la télévision.
Mais c'est le déjeuner surtout — traditionnellement le
10 repas le plus important et le plus copieux — qui est le
plus menacé. À Paris et dans la plupart des grandes
villes, les gens qui travaillent n'ont plus le temps de
rentrer déjeuner à la maison. Beaucoup d'employés
n'ont ni le temps ni l'argent pour un vrai repas et sont
15 obligés de manger dans les snack-bars. Il faut manger vite dans un monde où l'on vit vite. La durée
moyenne° d'un repas dans un restaurant est de 52 *average*
minutes. Mais dans les cantines° des entreprises publi- *cafeterias*
ques ou commerciales, la durée du déjeuner est seule-
20 ment de 25 minutes. Nous sommes arrivés à l'époque
de la « fast-food ». Traduction littérale : alimentation
rapide. Traduction littéraire : prêt-à-manger culinaire.

LA « FAST-FOOD » N'A PAS DE FRONTIÈRE

La « néo-restauration » se divise en deux parties : les cantines des entreprises publiques et les nouveaux « restaurants », temples de la nouvelle religion où l'on pratique la « bouffe non-stop » : drugstores, café-
5 terias, snack-bars, steak houses, chicken shops, « Wimpys », etc.

Le dernier arrivé est le « McDonald ». C'est une sorte de ranch-cuisine à un seul étage aux murs de brique rouge. C'est une copie parfaite de ses deux
10 mille frères qu'on trouve partout aux États-Unis. Ici, selon la vraie tradition américaine, « on sert vite, on mange vite » : c'est la « fast-food ». Vous comman-
dez : on vous offre sur un plateau° de plastique rose    *tray*
un hamburger chaud, des frites dans un petit sac, du
15 Coca-Cola, un café. Pas de couvert,° pas d'assiette.°    *silverware / plate*
On mange avec ses doigts. Le hamburger est le plat unique, avec ou sans « ketchup » et oignons. Et pour finir, le « milk-shake » ou « l'apple pie ». On se sert
au comptoir.° Une pancarte° dit « no tips ». Le ser-    *counter / sign*
20 vice est compris. C'est bien normal car il n'existe pas !

Avec « McDonald », la restauration entre dans
l'ère° de la technologie. Rien ne se perd, rien ne    *époque*
se crée, tout se transforme. Dans ce système, les « chefs » derrière leur comptoir sont seulement là pour
25 mettre la dernière main aux produits d'un long travail
à la chaîne.° « Notre hamburger, c'est plus qu'une    *assembly line*
technique, c'est un idéal » explique M. Herbert Fried-man qui a obtenu la licence pour la France de la chaîne « McDonald ».

30 Un idéal démocratique, oui peut-être, mais le prix à payer est la disparition progressive de la bonne cuisine.

Extrait et adapté d'un article du *Nouvel Observateur* par Patrick Séry

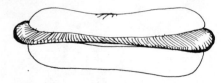

LA « HAUTE-CUISINE » PRÉFABRIQUÉE

# ACTIVITÉS

## A. *COMPRÉHENSION DU TEXTE*

*Complétez les phrases suivantes d'après les renseignements donnés dans le texte.*

1. La cuisine française est en train de changer parce que . . .
2. Le repas familial est de plus en plus souvent remplacé par . . .
3. Le soir, la famille prend le dîner de plus en plus vite pour . . .
4. Traditionnellement, le repas le plus important et le plus copieux est . . .
5. À midi, dans les grandes villes, beaucoup d'employés sont obligés de . . .
6. En général, un repas dans un restaurant français dure . . .
7. Dans les cantines, au contraire, la durée du déjeuner est . . .
8. Quelques exemples de restaurants qui sont typiques de cette nouvelle vague culinaire sont . . .

9. Si vous allez dans un restaurant McDonald pour déjeuner, vous pourrez manger . . .

10. À McDonald on est obligé de manger avec ses doigts parce que . . .

11. Dans les restaurants self-service, le service est compris ; c'est bien normal parce que . . .

12. Le rôle des chefs se limite à . . .

13. Le Président de la chaîne McDonald en France pense que le hamburger est un produit révolutionnaire. Pour lui, le hamburger est . . .

14. Pour l'auteur de cet article, le hamburger représente . . .


# B. ÊTES-VOUS D'ACCORD ?

*Corrigez la phrase si vous n'êtes pas d'accord avec l'opinion exprimée.*

1. Le « prêt-à-manger » et les autres formes de nourriture préparée à l'avance sont mauvais pour la santé.

2. La plupart du temps, les étudiants américains ne prennent pas le temps de manger régulièrement et de prendre des repas équilibrés.

3. La cuisine américaine est la meilleure du monde.

4. Manger devrait être un rite qu'on accomplit avec cérémonie et respect.

5. En ce qui concerne la nourriture, la quantité est plus importante que la qualité.

6. Les repas sont une excellente occasion de parler avec sa famille ou ses amis.

7. Il faut manger pour vivre et non vivre pour manger.

8. La prolifération des chaînes de « fast-food » représente un progrès social.

9. La nourriture dans les chaînes de « fast-food » est aussi bonne et nourrissante que dans les restaurants traditionnels.

10. Si on mange vite, on a plus de temps libre pour des choses plus importantes.

11. Les chaînes de « fast-food » vont tuer la cuisine de qualité.

12. Les Américains n'attachent pas assez d'importance aux plaisirs de la table.

13. Il n'y a pas de vraie cuisine américaine.

14. C'est scandaleux que les Américains mangent si bien pendant que tant de gens dans le monde meurent de faim.

15. Un bon repas doit aussi être agréable à l'œil.

« ON NE MANGE PLUS, MONSIEUR, ON BOUFFE »

## C. L'ACADÉMIE « FRANGLAISE »

*L'Académie française règne depuis bientôt quatre siècles. C'est elle qui dicte ce qu'on peut dire et ne pas dire en français. De nos jours, l'Académie cherche à éliminer un grand nombre de mots anglais qui sont entrés dans la langue française. Malgré ses efforts, le français pur et recherché est en train de disparaître ; nous entrons peut-être dans l'ère du « franglais » ! Si personne n'y prend garde, il y aura bientôt une Académie « franglaise » – une Académie qui va essayer autant que possible d'éliminer du français tous les mots qui peuvent être remplacés par des termes anglais. Le paragraphe qui suit est un exemple du « franglais ». Votre rôle est de le purifier de ses anglicismes et de rendre au français sa forme originale. Remplacez les mots « franglais » par les mots français qui conviennent.*

*Vocabulaire à utiliser :*

| | |
|---|---|
| un bifteck hâché | tennis de table |
| au café | un parc à voitures |
| garçon de café | son petit ami |
| cet emploi | faire quelques achats |
| l'entrevue | de luxe |
| au bal | attrayant |
| gardé les enfants | un apéritif |
| un bâtiment | sauce tomate |
| à l'association | un chandail |
| un pantalon de toile bleue | une tarte aux pommes |
| une saucisse de Strasbourg | la fin de semaine |

Comment trouver un *parking* pendant *le week-end* ? Ce n'est pas facile et Michelle commençait à s'impatienter. Elle avait rendez-vous avec *son boy-friend*, Alain, *au club* de *ping-pong*, et elle était déjà en retard parce qu'elle avait *fait du baby-sitting* pour sa sœur. Le club se trouvait dans *un building de grand standing*. Elle avait juste le temps de *faire un peu de shopping* avant de retrouver Alain. Elle avait envie de s'acheter *un blue-jeans* et *un sweater*. Alain trouvait cela *sexy*. . . Ensuite Alain lui offrirait *un cocktail* au club et ils iraient *au dancing*. Elle était impatiente de savoir le résultat de *l'interview* d'Alain avec le patron d'une agence de voyages. Il avait tant envie de *ce job* de guide ! Et avec l'argent qu'il gagnerait, ils pourraient aller manger *au snack-bar* toutes les fois qu'ils le voudraient. Lui prendrait sans doute *un hamburger* avec beaucoup de *ketchup* et un *hot-dog* ; elle du café et *une apple pie*. Ce serait la belle vie !

*Y a-t-il dans la langue anglaise beaucoup de mots qui sont d'origine française ? Que veulent dire les mots et expressions suivants ? En connaissez-vous d'autres ?*

| | |
|---|---|
| détente | à la carte |
| matinée | bourgeois |
| connaisseur | lingerie |
| chic | rendez-vous |
| papier-mâché | cologne |
| avant-garde | gourmet |

## D. AU RESTAURANT

*Voici la carte d'un bon restaurant français. Imaginez que vous êtes dans ce restaurant et que vous voulez commander un repas. Qu'allez-vous choisir ? Choisissez un partenaire qui jouera le rôle du garçon et imaginez la conversation qui aura lieu.*

### Le Cygne
### Menu du Dîner
#### Les Hors d'Oeuvre

Jambon de Bayonne     Pâté de Campagne

Bouquet de Crevettes     Céleris Rémoulade (en Saison)

#### La Spécialité

Escargots de Bourgogne     Terrine Maison

Foie Gras de Strasbourg     Crab Meat Le Cygne

Souffles Tous Parfums

#### Les Potages

Le Consommé Chaud     La Crème Maximoise

#### Les Entrées
#### Le Plat du Jour

Les Quenelles de Brochet Bressane     La Poularde au Champagne

La Sole Anglaise Waleska     Le Caneton à l'Orange

Le Gratin de Fruits de Mer     Les Grenouilles Provençale

#### Les Grillades

Le Coeur de Filet     Le Tournedos aux Cêpes

La Paillard de Boeuf     La Côte d'Agneau

#### Les Desserts au Choix

Le Plateau aux Fromages Assortis

Les Tartes aux Fruits     Le Forêt Noire

Les Mousses du Chef     La Crème Caramel

Crème Bavaroise     Coupe aux Marrons

Café

# E. QUESTIONS / INTERVIEW

*Répondez aux questions suivantes ou utilisez-les pour interviewer un(e)
autre étudiant(e).*

1. Pour vous, manger est-il une nécessité ou un plaisir ?
2. Est-ce que vous préférez manger chez vous ou au restaurant ?
   Pourquoi ?
3. Est-ce que vous prenez votre repas principal à midi ou le soir ?
   Pourquoi ?
4. Quel est votre restaurant favori ? Pourquoi ?
5. Est-ce que vous allez souvent dans les restaurants self-service ?
6. Quel est votre plat favori ? Et votre dessert préféré ?
7. Quelle sorte de cuisine préférez-vous ? la cuisine américaine ? la
   cuisine française ? la cuisine italienne ? la cuisine orientale ?
8. Qu'est-ce que vous buvez habituellement avec vos repas ?
9. Chez vous, qui fait habituellement la cuisine ?
10. Est-ce que vous pensez que les hommes devraient savoir faire la
    cuisine ?
11. Est-ce que vous aimeriez être le chef d'un grand restaurant ?
12. Est-ce que vous êtes plutôt gourmet ou gourmand(e) ?
13. Avez-vous jamais mangé un repas absolument somptueux ?
    Dans quelles circonstances et qu'avez-vous mangé ?
14. Est-ce que vous aimez inviter des amis à dîner chez vous ?
15. ?

# F. VIVENT LES DIFFÉRENCES !

1. Quel est votre restaurant favori ? Pourquoi ?
2. Est-ce que les Américains savent apprécier la bonne cuisine ?

3. Quand McDonald a ouvert son premier restaurant en France, le Président de la compagnie a dit : « La France va découvrir un nouvel art de vivre ». Qu'en pensez-vous ?

4. En France, comme aux États-Unis, les produits naturels et la cuisine écologique sont très à la mode. Comment peut-on expliquer cette popularité ?

5. La famine dans le monde. Que peut-on faire pour résoudre ce problème ?

6. Les Français disent : « Un jour sans vin est un jour sans soleil. » Est-ce vrai aussi pour les Américains ?

# 19

# *Picasso le fabuleux*

L'humanité rêve depuis des siècles d'un homme capable de créer des trésors° avec ses mains. Ce héros romantique a vécu, et il a vécu à une époque très peu romantique : la nôtre. C'était Pablo Picasso. Picasso
5 est un des rares artistes à avoir connu la gloire et la richesse de son vivant.° Tout ce que Picasso touchait de ses mains — peinture, sculpture, céramique, dessin — devenait immédiatement un trésor pour lequel les amateurs d'art° étaient prêts à payer des sommes
10 fabuleuses. Mais, en réalité, quelle était la place de l'argent dans la vie d'un homme dont le génie° créateur transcendait toute valeur monétaire ?

    Sous l'Occupation allemande, Picasso était resté à Paris. Il habitait son fameux atelier° de la rue des
15 Grands Augustins et prenait presque tous ses repas dans un restaurant espagnol de cette même rue, « le Catalan ». L'argent était rare à cette époque et Picasso n'avait pas toujours de quoi° payer l'addition. Il prenait alors un crayon et improvisait sur la nappe° en
20 papier un dessin qu'il signait.

*treasures*

pendant sa vie

*art lovers*

*genius*

*studio*

assez d'argent pour
*tablecloth*

170

À cette même époque, Olga, la première femme légitime de Picasso, et son fils Paulo se trouvaient en Suisse, pays où il était difficile de faire passer° de l'argent car la frontière était étroitement° surveillée par
5 les Allemands. Difficile pour n'importe quel mortel à l'exception d'un seul. Picasso donnait à Olga un cahier de croquis° que les marchands de Genève étaient heureux d'acheter. Une autre fois, le peintre, en route pour la Côte d'Azur, s'est trouvé sans argent à Lyon.
10 Mais pour Picasso ce n'était pas un problème. Il a pris ses crayons et en quelques minutes il a dessiné de quoi se procurer° une somme considérable.

On a reproché parfois à Picasso une certaine avarice. C'est injuste. Depuis sa jeunesse difficile, il avait
15 gardé l'horreur du gaspillage.° Il respectait non pas l'argent lui-même, mais le travail dont cet argent était le symbole. En réalité, il était très généreux. Il a offert de nombreuses toiles° à ses amis et à des musées.

Il n'aimait pas non plus posséder des biens° maté-
20 riels. Par exemple, pendant les dernières années de sa vie, Picasso n'avait jamais d'argent sur lui. C'était toujours sa femme qui payait. D'ailleurs, que signifie posséder quand on possède en soi un univers. Son unique passion a été son travail. « La peinture, disait-
25 il, c'est mon pastis. »°

Le fruit de son travail est immense. On parle de 15 000 toiles importantes peintes par Picasso pendant la durée de sa vie, de 100 000 estampes,° de 34 000 illustrations de livres, de 300 sculptures. Personne ne
30 peut donner un chiffre exact. Le peintre lui-même était incapable de donner un chiffre. Il peignait et dès que la couleur était sèche, il entassait° ses toiles dans ses différentes maisons. Et si le tableau n'était pas de première qualité, il l'oubliait.
35 Malgré son immense richesse, Picasso, fils d'un professeur de dessin, n'avait jamais oublié ses origines modestes : homme du peuple il était, homme du peuple il restait. Né en Espagne, Picasso est venu en France à l'âge de 19 ans. Pour des raisons politiques, il
40 a décidé de rester en France au lieu de retourner en

*smuggle*
strictement

*sketches*

obtenir

*wastefulness*

*canvases*
possessions

une boisson populaire
dans le Sud de la
France
*prints, engravings*

*piled*

Espagne. Malgré cette décision difficile, Picasso est toujours resté profondément attaché à son pays d'origine. C'est au moment de la Guerre Civile d'Espagne que cette tendresse sentimentale s'est transformée en engagement° politique. Dans son plus fameux tableau, simplement intitulé « Guernica », Picasso exprime sa douleur° devant la destruction de la ville de Guernica en 1937 et son amour pour son pays.

*involvement*

*sorrow*

Par ses origines espagnoles, sa culture française, son œuvre immense et son talent extraordinaire, Picasso restera toujours Picasso le fabuleux.

Extrait et adapté d'un article de *Paris Match* par De Moy

« GUERNICA » PEINT PAR PICASSO EN 1937
MUSEUM OF MODERN ART

PABLO PICASSO: « NATURE MORTE À LA TÊTE ANTIQUE »

# ACTIVITÉS

## A. *COMPRÉHENSION DU TEXTE*

*Répondez aux questions suivantes selon les renseignements donnés dans le texte.*

1. Est-ce qu'on a reconnu le talent de Pablo Picasso de son vivant ?

2. Quand Picasso n'avait pas d'argent, que faisait-il ?

3. Pourquoi était-il difficile de faire passer de l'argent en Suisse pendant la Deuxième Guerre Mondiale ?

4. Picasso était-il plutôt généreux ou avare ? Expliquez votre réponse.

5. Combien de toiles a-t-il peintes pendant sa vie ?

6. Que faisait-il de ses tableaux après les avoir peints ?

7. Quelles étaient ses origines sociales ?

8. Expliquez le changement d'attitude de Picasso au moment de la Guerre Civile en Espagne.

9. Qu'est-ce qui lui a inspiré son tableau « Guernica » ?

10. A-t-il toujours fait payer ses tableaux ?

11. À votre avis, quelle était la place de l'argent dans la vie de Picasso ?

# B. BEAUX-ARTS OU « BEAU ZOO » ?

*Vous avez devant vous deux semaines de vacances. Parmi les activités suivantes, quelles sont les sept choses que vous aimeriez mieux faire ? Indiquez vos choix et consultez l'interprétation qui suit pour savoir le rôle des beaux-arts dans votre vie. Si vous voulez, vous pouvez discuter vos choix avec d'autres étudiants.*

_____ 1. lire de bons livres

_____ 2. regarder la télévision

_____ 3. passer du temps à visiter les musées de votre ville

_____ 4. passer la journée à la plage

_____ 5. aller voir des concerts

_____ 6. aller danser avec vos amis dans une discothèque

_____ 7. parler avec vos amis des livres et des films récents

_____ 8. discuter la politique

_____ 9. composer de la musique

_____ 10. écrire des lettres à vos amis ou à vos parents

_____ 11. peindre, dessiner, sculpter

_____ 12. vous promener dans la forêt ou faire du camping

_____ 13. écouter des disques de musique classique

_____ 14. jouer aux cartes avec vos amis

_____ 15. apprendre à jouer d'un instrument de musique

_____ 16. aller voir des matchs de tennis ou d'autres compétitions sportives

_____ 17. écrire des poèmes

_____ 18. passer votre temps à ne rien faire

_____ 19. aller voir des ballets classiques ou modernes

_____ 20. faire de la bicyclette

*Comptez les nombres impairs (1, 3, 5, etc.) que vous avez marqués et consultez l'interprétation.*

TOTAL   INTERPRÉTATION

| 4-7 | Peut-être êtes-vous un de ces rares Picasso qui naît chaque siècle ! |
|---|---|
| 2-3 | Vous savez apprécier les beaux-arts mais avec une certaine perspective. |
| 0-1 | Mon Dieu ! Il y a des boxeurs qui sont plus artistiques que vous ! |

## C. ÊTES-VOUS ARTISTE ?

ÊTES-VOUS ARTISTE?

*Une scène de la vie quotidienne est décrite dans le paragraphe suivant. Pouvez-vous dessiner cette scène en utilisant les renseignements donnés dans le paragraphe ? Vous pouvez le faire seul(e) ou bien vous pouvez lire le paragraphe à un(e) autre étudiant(e) qui va recréer la scène. Quand vous aurez fini, comparez votre « tableau » à celui qui se trouve à la page suivante.*

*Si vous voulez, vous pouvez choisir une photo, une image ou un tableau et le décrire à quelqu'un d'autre qui va essayer de le dessiner selon vos indications. Le succès de cette activité dépend de la qualité de votre description et de la qualité de la reproduction faite par votre ami(e) artiste.*

Dans cette scène, il y a deux hommes, vus de profil, assis à une table rectangulaire, l'un en face de l'autre. Sur la table on voit une nappe et une bouteille de vin au bout de la table. L'homme de gauche porte un chapeau, une veste et une chemise dont on voit simplement le col. Il fume la pipe. Il a une moustache et son partenaire aussi. L'homme de droite porte aussi un chapeau, moins grand et plus rond que celui de l'autre homme. Sa veste est plus largement ouverte et laisse voir le devant de sa chemise blanche. Les bras sur la table, ils sont en train de jouer aux cartes et tous deux ont des cartes en main.

PAUL CEZANNE: « LES JOUEURS DE CARTES »

# D. *QUESTIONS / INTERVIEW*

*Répondez aux questions suivantes ou utilisez-les pour interviewer un(e) autre étudiant(e).*

1. Quel est votre peintre favori ?
2. Aimez-vous peindre ? sculpter ? dessiner ?
3. Aimez-vous visiter les musées ? Y allez-vous souvent ?

4. Qu'est-ce que vous avez comme décorations sur les murs de votre chambre — des tableaux, des dessins, des affiches de voyage, etc. ?

5. Quelles sortes de musique préférez-vous ? la musique pop ? la musique classique ? la musique folklorique ?

6. Quel est votre compositeur favori ? Quels sont vos chanteurs et chanteuses favoris ?

7. Est-ce que vous aimez aller au concert ?

8. Savez-vous jouer d'un instrument de musique ?

9. À votre avis, quel est le plus bel instrument de musique ?

10. Est-ce que vous aimez chanter ?

11. Est-ce que vous aimez la danse ? la danse classique ? la danse folklorique ? la danse moderne ?

12. Est-ce que vous aimez danser ?

13. Qu'est-ce qui vous inspire le plus — un beau tableau, un beau morceau de musique, un poème, un film, une belle photo, une sculpture, etc. ?

14. ?

## E. VIVENT LES DIFFÉRENCES !

1. Quelles sont les qualités nécessaires pour être artiste ?

2. Pour vraiment apprécier un tableau, faut-il savoir l'analyser ?

3. Est-ce qu'on naît artiste ou est-ce qu'on le devient ?

4. Est-ce que l'Amérique pourrait devenir un jour le centre artistique du monde ?

5. Pour vous, qu'est-ce qui est le plus important dans un tableau ? Le dessin, la couleur, la composition, etc. ?

6. Qu'est-ce qui représente le mieux la réalité — une peinture ou une photographie ?

7. En général, est-ce que les Américains savent apprécier les beaux-arts ?

# 20

# *Comment survivre aux Réveillons*

Lyon, le 23 novembre

Cher docteur,

Les fêtes de fin d'année approchent et par conséquent, il est bon que je vous demande conseil dès
5 maintenant. J'ai tendance à trop aimer la bonne cuisine et chaque année, à l'occasion de Noël et du Nouvel An, je mange trop. Et après, il faut payer ! Ah,
comme je souffre ! Chaque fois, je me promets de ne
plus recommencer. Mais chaque fois, je succombe aux
plaisirs de la table. Dites-moi, Docteur, que puis-je
faire pour survivre aux Réveillons ?°

*Christmas and New Year's*
*Eve dinners*

Cher monsieur,

Vous n'êtes pas le seul à avoir ce genre de problème. Je dirais même que c'est une maladie qui af-
15 fecte la majorité des Français pendant les fêtes de Noël
et du Jour de l'An. Voici donc ce que je conseille à tous
pour pouvoir apprécier les joies du Réveillon sans
avoir à payer de trop lourdes conséquences.

1. Pendant les quelques jours qui précèdent le Ré-
20 veillon (20-24 décembre et 26-30 décembre), faites une petite cure de repos pour préparer
votre estomac à l'effort digestif qui l'attend.
Limitez vos calories et mangez surtout des légumes frais et des fruits. Évitez le café et
25 l'alcool. Pendant cette période de préparation,
buvez quelques verres de cidre entre les repas et
mangez beaucoup d'artichauts : ils sont favo-
rables à votre système digestif.

2. Le jour de Noël, si vous allez à la messe de
30 minuit° avec vos amis ou vos parents, laissez
votre voiture à la maison : dix ou quinze minutes
de marche à pied stimuleront votre appétit et
apporteront l'oxygène nécessaire à votre orga-
nisme.

*midnight mass*

3. Pendant la journée qui précède le Réveillon, ne buvez absolument pas d'alcool. Ne faites pas comme les Américains qui ont la détestable habitude de boire un « Bloody Mary » (jus de to-
5   mate et vodka) pour se préparer à l'attaque. Il vaut mieux commencer le Réveillon sans un gramme d'alcool dans le corps. Vous aurez le temps de boire tout le vin et le champagne que vous voudrez au cours de la soirée.

10 4. Parmi les plats traditionnels qui composent le Réveillon, la dinde° est mal tolérée par les esto-    *turkey*
macs délicats. Le purée de marrons,° un autre    *chestnut pudding*
plat traditionnel, est également difficile à digé-
rer, mais elle est très riche en sels minéraux. Les
15  huîtres,° et les autres fruits de mer, sont très    *oysters*
digestibles.

5. C'est surtout le lendemain du Réveillon qui est difficile. Voici deux conseils qui vous seront utiles :
20  —Pour éviter la migraine au réveil, prenez deux comprimés d'aspirine dans un verre d'eau avant de vous coucher.
    —À votre réveil, buvez le jus de deux citrons
pressés° dans un verre d'eau sucrée. Cou-    *squeezed lemons*
25  chez-vous sur le côté droit, le bras droit
levé : cela aidera votre foie.°    *liver*

Et si ces conseils ne suffisent pas, vous aurez toute une année pour récupérer et vous préparer au prochain Réveillon.

Extrait et adapté d'un article de *Paris Match* par Jean Sauven

JOYEUX NOËL ET BON APPÉTIT

# ACTIVITÉS

## A. *COMPRÉHENSION DU TEXTE*

*Répondez aux questions suivantes selon les renseignements donnés dans le texte.*

1. Quel problème affecte la majorité des Français pendant les jours de fête ?

2. Qu'est-ce qu'on doit manger avant le Réveillon pour bien se préparer l'estomac ?

3. Quelles boissons vaut-il mieux éviter pendant les jours qui précèdent le 25 décembre et le premier janvier ?

4. Que peut-on faire le jour de Noël pour stimuler l'appétit ?

5. Est-il permis de consommer au moins un peu d'alcool la journée qui précède le Réveillon ?

6. Quel plat traditionnel est mal toléré par l'estomac ?

7. Quels sont les plats qu'on digère le plus facilement ?

8. Qu'est-ce que les spécialistes conseillent pour éviter les maux de tête ?

9. Si vous avez trop mangé et que vous avez mal au foie le lendemain, quelle action est recommandée ?

# B. COMMENT SURVIVRE ?

*À votre avis, comment peut-on survivre aux situations suivantes ? Complétez les phrases pour indiquer votre opinion personnelle.*

1. Pour survivre au Réveillon, il faut . . .
2. Pour survivre aux examens, il faut . . .
3. Pour survivre au mariage, il faut . . .
4. Pour survivre à votre cours de français, il faut . . .
5. Pour survivre au service militaire, il faut . . .
6. Pour survivre à un rendez-vous avec une personne que vous n'aimez pas, il faut . . .
7. Pour survivre à une visite chez le dentiste, il faut . . .
8. Pour survivre à une visite de votre belle-mère, il faut . . .
9. Pour survivre dans un pays où vous ne savez pas la langue, il faut . . .
10. Pour survivre à une conférence longue et monotone, il faut . . .
11. Pour survivre . ? . , il faut . . .

# C. TINTIN

*Quand il s'agit de survivre à une situation difficile, Tintin est sans rival. Mais qui est Tintin ? C'est le héros d'une série de bandes dessinées qui racontent les aventures d'un jeune détective courageux. Tintin est le héros favori d'un grand nombre de jeunes Français (et adultes aussi). Voici un extrait des pages de Tintin qui montre une épisode typique de ses aventures. Quand nous quittons Tintin, il se trouve en plein danger. C'est à vous de décider comment il va survivre à cette situation menaçante.*

[1] parfaitement
[2] miss

**183**

Mais Pablo nous a menti, à vous comme à nous! Et dans quel but ?[6] Est-ce que je sais, moi ?..

Tout ça sent le traquenard à plein nez,[5] général!!

Un traquenard ?.. Impossible!... Pablo est la loyauté même!

Il y a de quoi![3] Car jamais nous ne vous avons adressé de message!... Au contraire, c'est Pablo qui nous a annoncé, de votre part, que notre vie était en danger mais que vous alliez nous tirer d'affaire![4]

Panthère noire à Puma rouge: le camion est en vue....

Arrêtons-nous, général: le temps de réfléchir....

Pas question! La route est encore longue et il n'y a rien à craindre!

Tout cela m'inquiète![7] J'ai l'impression qu'on nous a tendu un piège[8]

[3] You'd better believe it!
[4] Get us out of this mess.

[5] It really smells like a trap.
[6] Pour quelle raison ?

[7] All this bothers me.
[8] trap

184

# D. IMAGINEZ QUE . . .

*Comme les êtres humains, les plantes et les animaux doivent, eux aussi,
savoir survivre dans un monde parfois sévère et hostile. Si tout d'un
coup, les plantes et les animaux suivants pouvaient parler, quels conseils
leur donneriez-vous ?*

1. un canard qui ne sait pas nager
2. un coq qui aime dormir jusqu'à midi
3. une tortue qui est impatiente de courir
4. une fourmi qui n'aime pas les pique-niques
5. un taureau qui a peur des matadors
6. une panthère enfermée dans une cage
7. un poisson dans une rivière polluée
8. un insecte sur un trottoir de New York
9. une rose qui a une odeur d'oignon
10. un petit oiseau dans une ville industrielle
11. un cheval sauvage dans le far-ouest
12. un cactus qui habite une région où il pleut tout le temps
13. un petit arbre dans une grande forêt
14. un vautour qui n'aime pas la viande
15. ?

# E. VIVENT LES DIFFÉRENCES !

Les différences vivent, c'est vrai, mais vont-elles survivre au 21e
siècle . . . le vôtre ?

# Vocabulaire

The vocabulary contains all words that appear in the text except articles and recognizable cognates. Irregular verbs and noun plurals are included as are irregular feminine forms of adjectives.

## Abbreviations

| | | | |
|---|---|---|---|
| *cond* | conditional | *part* | participle |
| *f* | feminine | *pl* | plural |
| *fut* | future | *pp* | past participle |
| *imp* | imperative | *pres* | present |
| *m* | masculine | *subj* | subjunctive |

## A

**a, ai, as** (*pres of* **avoir**) have, has; **il y a** there is, there are

**à** at, in, to; **— bas** down with; **— bicyclette** on a bicycle; **— bord** on board; **— cause de** because of; **— ce sujet** about this; **— condition que** on condition that, provided that; **— la fin** at the end; **— la fois** both, at the same time; **— la mode** in fashion; **— pied** on foot; **— tout prix** at any cost; **— votre avis** in your opinion

**abandon** *m* abandonment, neglect

**abondant** abundant

**absolu** absolute

**absolument** absolutely

**abstrait** *m* abstract (painting)

**accès** *m* access

**accidentel, accidentelle** accidental

**accord : être d'—** to agree

**accorder** to grant

**achat** *m* purchase; **faire des —s** to make purchases

**acheter** to buy

**acquérir** to acquire

**actionner** to work, start

**actrice** *f* actress

**actuel, actuelle** present

**actuellement** presently

**addition** *f* bill, check

**additionner** to add up

**admettre** to admit

**adolescent** *m* adolescent, teen-ager

**adresse** *f* address

**aéré** ventilated

**aéronautique** aeronautical

**aéroport** *m* airport

**affaires** *f pl* business; **— étrangères** foreign affairs

**affectueux, affectueuse** affectionate

**affiche** *f* poster, notice

**affronter** to face

**afin de** in order to

**Afrique** *f* Africa

**ailleurs : d'ailleurs** besides, moreover

**âgé** old

**agence** *f* agency, bureau

**agent (de police)** *m* policeman

**s'agir** to be about, to be a question of

**agiter** to shake, wave

agneau *m* lamb

agréable pleasant, nice

agréablement pleasantly

agréer to accept

agriculteur *m* farmer

aider to help, aid

aimer to like, love; — mieux to prefer

ainsi thus, so

ajouter to add

alarmant alarming

alcool *m* alcohol

Algérie *f* Algeria

alimentation *f* food, nourishment

allemand German

aller to go; — à la pêche to go fishing; —à pied to walk; — bien to be fine; — chercher to go get; — en classe to go to class; — retour round-trip; comment allez-vous? how are you?

allô hello (*on phone*)

allocation *f*: —s familiales *f pl* subsidies provided by the government to families with children

allumette *f* match

alors then

alpiniste *m f* mountain-climber

amateur *m* amateur, fan, enthusiast

ambassade *f* embassy

ambitieux, ambitieuse ambitious

ambulant : cirque ambulant *m* traveling circus

âme *f* soul

améliorer to improve

américain American

Amérique *f* America

ami, amie friend; petit ami *m* boyfriend; petite amie *f* girlfriend

amical friendly

amour *m* love

amusant funny, amusing

amuser amuse; s'— to have a good time

an *m* year; avoir vingt —s to be twenty years old; par — a year; le Nouvel An New Year's

ancien, ancienne former, previous

anglais English

Angleterre *f* England

animal, *pl* animaux *m* animal; — de compagnie pet

animalier, animalière animal

année *f* year

anniversaire *m* birthday

annonce *f* announcement, advertisement

anonyme anonymous

août *m* August

apercevoir to notice, see

apéritif *m* before-dinner drink

appareil *m* machine; — photo camera

apparemment apparently

appeler to call, name

applaudissement *m* applause

appliquer to apply

apporter to bring

apprendre to learn, teach

apprenti *m* apprentice

apprentissage *m* apprenticeship

appris (*pp of* apprendre) learned

approximatif, approximative approximate

après after; d'— from, after, according to

après-midi *m* afternoon

arbre *m* tree

archaïque archaic, old

archéologue *m* archeologist

arène *f* arena

argent *m* money

aristocratique aristocratic

armé armed

arrêt *m* stop

arrêter to stop, arrest

arrivée *f* arrival

arriver to arrive, happen

artichaut *m* artichoke

artificiel, artificielle artificial

artistique artistic

ascenseur *m* elevator

aspirateur *m* vacuum cleaner

s'asseoir to sit down

assez enough, rather; J'en ai — ! I've had it!

assiette *f* plate

assis (*pp of* asseoir) seated

assister to attend

assurer to assure, insure

astrologue *m f* astrologist

atelier *m* studio, workshop

atomique atomic

attendre to wait (for)

attention *f* watch out! attention

attentivement carefully, attentively

attrait *m* attraction, appeal

attrayant attractive

attribuer to attribute

au to, in; — bout to the end; — cas où in case; — contraire on the contrary; — cours de during; —-dessous under, beneath; —-dessus over; — foyer at home; — lieu de instead of; — loin at a distance; — milieu in the middle; — moins at least; — sujet de about; — volant at the wheel

aucun no, none

augmenter to increase

aujourd'hui today

aurai, auras, aura, aurez, auront (*fut of* avoir) will have

aurait, aurions, auriez, (*cond of* avoir) would have

aussi too, also; —... que as . . . as

autant as much, as many

auteur *m* author

auto *f* car, auto; en — by car

**autobus** *m* bus

**automatique** automatic

**automobiliste** *m f* driver

**autorité** *f* authority

**autoroute** *f* highway, freeway

**autre** other, another; — **chose** something else; **d'— part** on the other hand

**autrefois** formerly

**aux** to, in, with; — **États-Unis** in, to the United States

**avait, avaient, avions, aviez** (*imp of* **avoir**) had, used to have

**avance : à l'—** in advance

**avancement** *m* advancement

**avancer** to advance, go, move forward

**avant (de)** before

**avantage** *m* advantage

**avare** *m f* miser

**avec** with

**avenir** *m* future

**aventure** *f* adventure

**avion** *m* airplane

**avis** *m* opinion; **à votre —** in your opinion

**avoir** to have; — **besoin de** to need; — **de la chance** to be lucky; — **envie de** to feel like; — **faim** to be hungry; — **lieu** to take place; — **peur de** to be afraid (of); — **vingt ans** to be twenty years old

**avril** *m* April

## B

**bachelier** *m* student holding the *baccalauréat*

**baignoire** *f* bathtub

**bail** *m* lease

**bain** *m* bath; **salle de —** *f* bathroom

**bal** *m* dance, ball

**bande** *f* band, strip; — **des-**

**-sinée** *f* comic strip

**banque** *f* bank; **billet de —** *m* banknote, bill

**banquier, banquière** banker

**barbe** *f* beard

**bas** down, low; **à — les mathématiques** down with math

**bas, basse** low

**bateau** *m* boat, ship; — **à voile** sailboat

**bâtiment** *m* building

**battre** to beat; **se —** to fight

**battu** (*pp of* **battre**) beaten

**bavard** talkative

**beau** beautiful; **il fait —** the weather is nice

**beaucoup** much, many, a lot

**beaux-arts** *m pl* fine arts

**bébé** *m* baby

**belge** *m f* Belgian

**Belgique** *f* Belgium

**belle** *f of* **beau** beautiful

**besoin** *m* need; **avoir — de** to need

**bête** stupid

**bête** *f* beast

**bêtement** stupidly

**béton** *m* concrete

**bibliothèque** *f* library

**bicyclette** *f* bicycle; **faire de la —** to go bicycle riding

**bien** well, very, quite; — **sûr** of course; **eh —** well, so

**biens** *m pl* goods, property

**bientôt** soon

**bifteck** *m* beefsteak

**billet** *m* ticket; — **de banque** banknote, bill

**biscuit** *m* cookie

**blanc, blanche** white

**bleu** blue

**bloc** *m* : **en —** all together

**bœuf** *m* ox, beef

**boire** to drink

**boisson** *f* drink

**boîte** *f* box, can; — **de vitesse** gearbox, transmission

**bon, bonne** good; **bon marché** cheap

**bonheur** *m* happiness

**bonjour** hello, good day

**bonsoir** good evening

**bord** *m* edge; **à — d'un bateau** on board a ship; **au — de la mer** at the seashore

**botanique** *f* botany

**botte** *f* boot

**boucher** *m* butcher

**bouffer** to eat greedily or in a hurry, to "gobble"

**boulanger** *m* baker

**boule** *f* : **le jeu de boules** bowling

**boulot** *m* work, job

**bourgeois** *m* middle-class, bourgeois

**bout** *m* end; **au —** to the end, at the end

**bouteille** *f* bottle

**bouton** *m* button

**boxe** *f* boxing

**bras** *m* arm

**bref, brève** short, brief

**Bretagne** *f* Brittany, province in northwestern France

**brièvement** briefly

**brique** *f* brick

**britannique** British

**brosse** *f* brush; — **à cheveux** hairbrush; — **à dents** toothbrush

**brouillard** *m* fog

**bruit** *m* noise

**brûler** to burn

**brusquement** abruptly, suddenly

**brutalement** brutally

**brutaliser** to bully

**Bruxelles** *f* Brussels

**bruyant** noisy

**bu** (*pp of* **boire**) drunk

**bulletin** *m* : — **météorologique** weather report

**bureau** *m* office, desk; — **de poste** post office

**but** *m* aim, goal
**buvez** (*pres of* **boire**) drink

## C

**ça** (**cela**) that, it
**cacher** to hide; **se —** to hide (oneself)
**cacophonie** *f* cacophony, assortment of noises
**cadeau** *m* gift
**cadre** *m* framework, frame
**café** *m* café, coffee
**cahier** *m* notebook
**caisse** *f* cash register; **— d'épargne** *f* savings bank
**calendrier** *m* calendar
**calmement** calmly
**camarade** *m f* friend, pal
**cambrioler** to burglarize
**cambrioleur** *m* burglar
**caméra** *m* movie camera
**camion** *m* truck
**campagne** *f* country
**camping** *m* camping, campground; **faire du —** to camp; **terrain de —** *m* campground
**canard** *m* duck
**canot** *m* dinghy, boat
**cantine** *f* cafeteria (*school, military, hospital, etc.*)
**capacité** *f* capacity, capability
**capitaine** *m* captain
**car** for, since, because
**carabine** *f* carbine, rifle
**caractère** *m* personality, temperament
**caravane** *f* trailer
**cargo** *m* freighter
**carnaval** *m* carnival, Mardi Gras
**carreau** *m* square, check
**carte** *f* map, card; **jouer aux —s** to play cards
**cas** *m* case, instance; **au — où** in case; **en tout —** at any rate, in any case
**cause** *f* cause; **à — de** because of
**ce** (*before a vowel or mute* **h,** **cet**), *f* **cette;** *pl* **ces** this, that, these, those; **ce... -ci** this; **ce... -là** that; **ce que** (*object*) what, which; **ce qui** (*subject*) what, which
**ceci** this
**céder** to yield
**cela** that
**célèbre** famous
**célibataire** single (*man or woman*)
**celle, celles** *f* the one, ones
**celui, ceux** *m* the one, ones
**cent** hundred
**centaine** *f* around one hundred
**centenaire** *m* one hundredth birthday, one hundred year-old man
**centime** *m* centime, "cent"
**céramique** *f* ceramics
**ces** *m f pl* these, those
**cesser** to stop; **sans cesse** continuously
**cet** *m* this, that
**cette** *f* this, that
**ceux** *m pl* these, those
**chacun** each, each one
**chaîne** *f* chain; **— haute fidé- lité** stereo
**chaise** *f* chair
**chalumeau** *m* blow torch
**chambre** *f* bedroom
**chance** *f* luck, chance; **avoir de la —** to be lucky
**chandail** *m* sweater
**chandelle** *f* candle
**changement** *m* change
**changer** to change, exchange
**chanson** *f* song
**chanter** to sing
**chanteur, chanteuse** singer
**chantier** *m* working area, building site
**chapeau** *m* hat

**chapiteau** *m* big top
**chapitre** *m* chapter
**chaque** each, every
**charger** to load, be made responsible
**chasse** *f* hunting
**chasser** to chase, hunt
**chasseur** *m* hunter
**chat** *m* cat
**château** *m* castle, chateau
**chaud** hot, warm
**chauffage** *m* heating
**chauffeur** *m* driver
**chaussure** *f* shoe
**chemin** *m* path, way
**chemise** *f* shirt
**chèque** *m* check; **toucher un —** to cash a check
**cher, chère** expensive, dear
**chercher** to look for; **— à** to attempt, try to; **aller —** to go get
**cheval,** *pl* **chevaux** *m* horse
**cheveux** *m pl* hair
**chez** to (at) the house of, to (at) the place of business of
**chien, chienne** dog
**chiffre** *m* figure
**chimie** *f* chemistry
**choc** *m* shock
**choisir** to choose
**choix** *m* choice
**chômage** *m* unemployment
**chose** *f* thing; **autre —** something else; **quelque —** something
**cidre** *m* cider
**ciel** *m* sky, heaven
**cimetière** *m* cemetery
**cinéma** *m* movies, movie theater
**cinq** five
**cinquante** fifty
**circuit** *m* track, lap
**circulation** *f* traffic
**circuler** to drive, circulate
**cirque** *m* circus
**citer** to quote

**citron** *m* lemon; — **pressé** (squeezed) lemonade

**clair** clear

**clandestin** secret, clandestine

**classique** classical

**client** *m* customer

**climatisation** *f* air-conditioning

**cochon** *m* pig

**cœur** *m* heart

**coffre-fort** *m* strongbox, safe

**coiffeur** *m* barber

**col** *m* collar

**colère** *f* anger; **être en** — to be angry; **se mettre en** — to become angry

**colle** *f* detention

**collègue** *m f* colleague

**colline** *f* hill

**colonie** *f* colony; — **de vacances** summer camp

**colonne** *f* column

**combattre** to combat, fight

**combien** how much, how many

**comique** comical, funny

**commandant** *m* commander

**commander** to order

**comme** like, as, how, as if; — **dessert** for dessert

**commencement** *m* beginning

**commencer** to begin

**comment** how, what!

**commentaire** *m* comment, note

**commerçant** *m* merchant

**commis** (*pp of* **commetre**) committed

**commun** common, ordinary; **le Marché C—** the Common Market

**communauté** *f* community

**compagnie** *f* company; **animal de —** *m* pet

**compagnon** *m* friend, companion

**comparaison** *f* comparison

**complet, complète** complete

**complètement** completely

**composer** to comprise, compose

**compositeur** *m* composer

**composition** *f* composition, term paper

**comprendre** to understand

**comprimé** *m* tablet

**compris** (*pp of* **comprendre**) understood, included

**comptable** *m* accountant

**compte** *m* (bank) account

**compter** to count

**comptoir** *m* counter

**concerner** to concern; **en ce qui concerne** concerning

**condamner** to condemn

**condition** *f* condition; **à — que** on the condition that

**conducteur** *m* driver

**conduire** to drive

**conférence** *f* lecture

**confiance** *f* confidence

**confier** to entrust, confide

**congrès** *m* congress

**connaissance** *f* acquaintance; *pl* knowledge; **faire la —** to meet

**connaître** to know, be acquainted with

**connu** (*pp of* **connaître**) known, met

**consacrer** to devote, give

**consciencieux, consciencieuse** conscientious

**conseil** *m* council, advice

**conseiller** to advise

**conséquent : par —** consequently

**consommation** *f* consumption, use, drink

**consommer** to consume, use

**constructeur** *m* builder

**construire** to build, construct

**contemporain** contemporary

**contraire** *m* opposite, contrary; **au —** on the contrary

**contre** against

**convaincant** convincing

**convaincre** to convince

**convenir** to suit

**convoi** *m* convoy

**copain** *m* friend, pal

**copieux, copieuse** abundant, copious

**coq** *m* rooster

**corde** *f* cord, rope

**corps** *m* body

**correctement** correctly

**corrida** *f* bullfight, bullring

**corriger** to correct

**costume** *m* costume, suit

**côte** *f* coast; **la C— d'Azur** the French Riviera

**côté** *m* side, direction, way; **a — de** beside; **de —** aside

**se coucher** to go to bed

**couleur** *f* color

**coup : tout d'un —** all of a sudden

**coupable** guilty

**couper** to cut

**courageux, courageuse** brave, courageous

**courant** *m* current

**coureur** *m* racer, runner

**courir** to run, run after

**courrier** *m* messenger; **avant-—** publicity manager

**cours** *m* class, course; **au — de** during, in the course of

**course** *f* race

**couteau** *m* knife

**coûter** to cost

**coutume** *f* custom, habit

**coûturière** *f* dress-maker

**craindre** to fear

**crayon** *m* pencil

**créateur, créatrice** creative

**créer** to create

**crème** *f* cream

**cri** *m* cry, shout

**crier** to shout, cry out

**crise** *f* crisis; — **de l'énergie** energy crisis

**crissement** *m* crunch

**croire** to believe, think

**croisade** *f* crusade

cru (*pp of* **croire**) believed

**cuisine** *f* food, cuisine, kitchen; **faire la —** to cook

**cuisinière** *f* range, stove, cook

**culot** *m* nerve

**cyclisme** *m* cycling


# D

**d'accord : être —** to agree

**dactylo** *f* typist

**dame** *f* lady, woman

**danger** *m* danger; **être en —** to be in danger

**dangereusement** dangerously

**dangereux, dangereuse** dangerous

**dans** in, into, within; **— l'ensemble** on the whole

**davantage** more

**de** of, from, by, in, (*as partitive*) some, any

**débarrasser** to rid

**débordant** overflowing

**se débrouiller** to manage, get along

**débutant** *m* beginner

**décision** *f* decision; **prendre une —** to make a decision

**déclarer** to state, declare

**déconcerter** to upset, disconcert

**découvert** (*pp of* **découvrir**) discovered

**découverte** *f* discovery

**découvrir** to discover

**décrire** to describe

**dedans** in, into, inside

**défaut** *m* fault

**défendre** to forbid, defend

**défenseur** *m* defender

**définitif, définitive** final, definitive

**déguiser** to disguise

**dehors** outside

**déjà** already

**déjeuner** to eat lunch

**déjeuner** *m* lunch; **petit —** breakfast

**délicat** delicate, touchy

**demain** tomorrow

**demande** *f* request; **sur —** upon request

**demander** to ask

**demi** half; **une demi-carafe** half a pitcher or carafe; **une demi-heure** half an hour

**démonter** to take down, apart

**dénoncer** to denounce

**dent** *f* tooth; **brosse à —s** *f* toothbrush

**départ** *m* departure, start

**dépasser** to pass, exceed

**se dépêcher** to hurry

**dépenser** to spend

**dépenses** *f pl* expenses

**dépensier, dépensière** spendthrift

**depuis** since, for, after, from

**dernier, dernière** last, most recent

**derrière** behind

**des** some, any, from, of

**dès** from, since

**désagréable** unpleasant

**désastre** *m* disaster

**désastreux, désastreuse** disastrous

**désavantage** *m* disadvantage

**descendre** to descend, go down, come down, get off

**descente** *f* descent, drop

**déséquilibrer** to unsettle, unbalance

**désordre** *m* disorder

**dessin** *m* drawing, plan, sketch

**dessiné** drawn; **bande dessinée** *f* comic strip

**dessiner** to draw, sketch

**dessous** under; **au — de** under, beneath

**dessus** above; **au — de** over

**destiné** (*pp of* **destiner**) destined

**détroit** *m* strait

**deux** two; **tous —** both; **toutes les — heures** every other hour

**deuxième** second

**devant** in front of, before

**dévaster** to ravage, devastate

**devenir** to become

**devenu** (*pp of* **devenir**) became

**devez** (*pres of* **devoir**) must, are to, have to

**deviner** to guess

**devoirs** *m pl* homework, chores

**devrais, devrait, devraient** (*cond of* **devoir**) ought, should

**diagnostic** *m* diagnosis

**dicton** *m* saying, maxim

**Dieu** *m* God

**difficile** hard, difficult

**difficilement** with difficulty

**digérer** to digest

**dimanche** *m* Sunday

**diminuer** to lessen, diminish

**dinde** *f* turkey

**dîner** *m* supper, dinner

**dîner** to dine, eat dinner

**dire** to say, tell; **c'est-à- —** that is to say; **vouloir —** to mean

**directement** directly

**diriger** to direct, guide

**discours** *m* speech

**discrètement** discreetly

**discuter** to discuss

**disparaître** to disappear

**disparition** *f* disappearance

**disposer (de)** to have at one's disposal

**disque** *m* record

**distraction** *f* leisure-time activity, amusement

**distribuer** to pass out, distribute

**divers** different, various

diviser to divide

dix ten

dizaine f around ten

doigt m finger

doit (pres of devoir) must, is to, has to

domestiqué tamed

dommage too bad

donc then, so, therefore

donner to give

dont whose, of whom, of which

dormir to sleep

doubler to pass, double

douche f shower

douleur f pain, sorrow

doute m doubt; sans — probably

Douvres Dover, England

doux, douce soft, sweet, mild

douze twelve

douzième twelfth

drame m play, drama, story

drapeau m flag

dresseur m tamer

drogue f drug, drugs

droit m right

droit straight, right; tout — straight ahead

droite f right; à — to (on) the right

drôle funny

du some, any, from, of; — moins at least

dû, due (pp of devoir) must have, had to

dur hard; travailler — to work hard

durée f duration

durer to last


E


eau f water; — de vie brandy

échapper to escape

échouer to fail

école f school

économe economical, thrifty

économie f economy; pl savings; faire des —s to save

économiser to save

écoper to bail (water)

écouter to listen

écrire to write; machine à — f typewriter

écrivain m writer

éducatif, éducative educational

éduquer to educate

effectivement in fact

effet m effect; en — in fact, as a matter of fact

égal equal; sans — without comparison

également equally

église f church

eh bien well, so

électrophone m record player

élevage m ranch

élève m f pupil, student

élixir m elixer, magic potion

elle f she, it, her; —-même herself

elles f pl they, them

emigrer to emigrate

émission f broadcast

empêcher to prevent

emploi m job, work; — du temps work schedule

employer to use

emporter to take (away), carry (away)

emprisonner to imprison

emprunter to borrow

en in, into, as a, made of, of it, of them, some any; — auto by car; — colère angry: — effect in fact; — même temps at the same time; — tête ahead; — tout cas at any rate; — train de in the process of; — vacances on vacation; — ville downtown

enchanté delighted, enchanted, glad to know you

encore still, yet, even; — une fois once again

encourageant encouraging

s'endormir to fall asleep

endroit m spot, place

énergique energetic

enfance childhood

enfant m f child

enfermer to close up, close in

enfin finally, at last, after all

s'enfuir to flee

engagement m involvement

engrais m fertilizer

ennemi m enemy

ennuyeux, ennuyeuse boring, tedious

énorme enormous

enquête f survey, search, investigation

enregistrement m recording

enregistrer to record

enseignement m teaching

ensemble together; dans l' — on the whole

ensuite next, then

entendre to hear

enterrer to bury

entièrement entirely, completely

entourer to surround

entre between, among

entrée f entrance

entrer to enter

entrevue f interview; accorder une — to grant an interview

énuméré listed, named

envahir to invade

envers toward, in regard to

envie f desire, envy; avoir — de to feel like, want to

environ about, around

envoyer to send

épargne : caisse d'— savings bank

épée f sword, foil

éponge f sponge

époque f time, period

épouse f wife

**éprouver** to feel

**équilibre** *m* balance, equilibrium

**équilibré** balanced

**équilibriste** *m f* tight-rope walker

**équipe** *f* team

**équitable** fair, equitable

**équitablement** fairly, equally

**Espagne** *f* Spain

**espagnol** Spanish

**espérer** to hope

**espoir** *m* hope

**espirt** spirit, mind, wit

**essai** *m* essay

**essayer** to try

**essence** *f* gasoline

**est** (*pres of* **être**) is

**estampe** *f* print, engraving

**estomac** *m* stomach

**et** and

**établir** to establish, set up

**étage** *m* floor

**étais, était, étions, étiez, étaient** (*imp of* **être**) was, were

**États-Unis** *m pl* United States

**été** *m* summer; **en —** in the summer

**été** (*pp of* **être**) been

**êtes** (*pres of* **être**) are

**étonnant** surprising

**étonner** to surprise

**étrange** strange, odd

**étranger, étrangère** foreign, foreigner

**être** to be

**étroit** narrow

**étroitement** narrowly, closely

**étude** *f* study; **faire des —s** to study

**étudiant, étudiante** student

**étudier** to study

**eu** (*pp of* **avoir**) had

**européen, européenne** European

**eux** *m pl* them; **—-mêmes** themselves

**évasion** *f* escape

**événement** *m* event

**évidemment** evidently

**éviter** to avoid

**évoquer** to evoke

**exact** exact, precise, right

**exactement** exactly

**exagérer** to exaggerate

**examen** *m* test, exam

**excès** *m* excess

**exclusivement** exclusively

**exemple** *m* example; **par —** for example

**exercer** to do; **— une profession** to practice a profession

**exiger** to demand

**explication** *f* explanation

**expliquer** to explain

**exploser** to explode

**exposition** *f* exhibition

**exprimer** to express

**extérioriser** to vent, show (emotions)

**extrait, extraite** taken (from)

**extraordinaire** extraordinary

# F

**fabrication** *f* manufacture, construction

**fabriquer** to manufacture, make

**fabuleux, fabuleuse** fabulous

**face** *f* face; **en — de** opposite; **faire — à** to confront, face; **perdre la —** to lose face

**se fâcher** to become angry

**facile** easy

**facilement** easily

**façon** *f* way, manner

**faculté** *f* faculty, college

**faible** weak

**faim** *f* hunger; **avoir —** to be hungry

**faire** (**fais, fait, font**) to do, make; **— attention** to pay attention; **— beau, mauvais** to be nice, bad (weather); **— de la bicyclette** to go bicycle riding; **— du camping** to camp; **— les courses** to do the shopping; **— la cuisine** to cook; **— des économies** to save; **— des études** to study; **— naufrage** to be shipwrecked; **— peur** to scare; **— son possible** to do one's best; **— une promenade** to take a walk; **— la queue** to stand in line; **— semblant** to pretend; **— la vaisselle** to do the dishes; **— du vent** to be windy

**fait** *m* fact

**falloir** (**faut, faudra, faudrait, fallait, fallu**) to be necessary, must, have to, need

**fameux, fameuse** famous

**familial** pertaining to family

**famille** *f* family

**fatigant** tiring

**faut** (*pres of* **falloir**) is necessary

**faute** *f* mistake, error, foul

**faux, fausse** incorrect, fake; **vrai ou faux** true or false

**faveur** *f* favor; **en —** in favor

**favorablement** favorably

**favori, favorite** favorite

**favoriser** to favor

**félicitations** *f pl* congratulations

**femme** *f* woman, wife

**fenêtre** *f* window

**ferais, ferait, feriez** (*cond of* **faire**) would do, would make

**ferme** *f* farm

**fermier, fermière** farmer

**féroce** ferocious

**festin** *m* feast, banquet

**fête** *f* festival, holiday

**feu** *m* fire; **— rouge** red light

feuille f leaf, sheet (of paper)

février m February

fidèle faithful, loyal

fier, fière proud

fil m thread, wire

fille f daughter, girl

fils m son

fin f end

finalement finally

finir to finish, end; — par to end up, finally

fixer to hang

fleuriste m f florist

fleur f flower

flotter to float

foie m liver

fois f time; encore une — again, once more; une — par jour once a day

folklorique folk; musique — f folk music

fonctionner to run, work, function

fonder to found, establish

font (pres of faire) do, make

football m soccer, football

footballeur m soccer player, football player

force m force, strength

forêt f forest

formation f training, education

formidable great, terrific

formule f formula, expression

fossé m ditch, gap

fou, folle crazy, mad

fouet m whip

fourmi f ant

fourrure f fur

foyer m hearth, home; femme au — housewife

frais, fraîche fresh

français French

franglais m mixture of French and English

freinage m braking

freins m pl brakes

fréquemment frequently

fréquenter to frequent, go often

frère m brother

frites f pl french fries

froid m cold

fromage m cheese

frontière f border

fruits de mer m pl seafood

fumer to smoke

fumeur m smoker

funambule m f tight-rope walker

furieux, furieuse furious, mad

fusée f rocket, flare


G

gagner to win, earn

gai happy, gay

gaieté f gaiety, cheerfulness

galerie f gallery, passage

garagiste m mechanic, service-station owner

garçon m boy, waiter

garde f : prendre — to watch out

garder to keep, hold

gardien m watchman

gare f railway station

gaspillage m waste

gauche left

gaz m gas

généralement generally

généreux, généreuse generous

Genève Geneva

genre m kind, type

génie m genius

gens m f people, persons

gentiment nicely

geste m gesture

glace f ice, ice cream

gloire f glory

gorge f throat

gosse m f kid, child

gourmand gluttonous, greedy

goût m taste

goutte f drop

grâce à thanks to

gracieux, gracieuse gracious, graceful

grand big, large, tall, great, important

Grande Bretagne f Great Britain

grandir to grow up

gratuit free

grec, grecque Greek

Grèce f Greece

grillé broiled, barbecued, toasted

gris gray

gros, grosse big, large, fat

grotte f cave, cavern

guerre f war; la deuxième — mondiale the Second World War

gymnastique f gymnastics; faire de la — to exercise


H

Words beginning with an aspirate h are shown by an asterisk *.

habiller to dress; s'— to get dressed

habitant m inhabitant

habiter to live, dwell, inhabit

habitude f habit, custom

habituellement habitually

habituer to accustom

*hâché chopped

*haine f hate

*haricot m bean; —s verts pl green beans

*haut high; en — e mer on the high sea

*hauteur f height

hélas alas

hériter to inherit

*héros, héroïne hero, heroine

heure *f* hour, time (of day), o'clock; **à l'—** on time; **de bonne —** early; **de l'—** an hour (*wages*); **vers dix —s** around 10 o'clock; **une demi-—** a half hour

heureusement fortunately, happily

heureux, heureuse happy

*hibou *m* owl

histoire *f* story, history

hiver *m* winter

homme *m* man; **— d'affaires** businessman; **— d'état** statesman; **— politique** politican

honnête honest

hôpital *m* hospital

horaire schedule

*hors d'œuvre *m* pl* hors d'œuvres, side-dishes

*huit *eight*

hûitre *f* oyster

humain human

humanitaire humanitarian

humblement humbly

humeur *f* mood; **être de bonne —** to be in a good mood; **être de mauvaise —** to be in a bad mood

humide wet, damp

humoristique humerous

hygiénique healthy, sanitary; **papier —** *m* toilet paper

## I

ici here

idée *f* idea

idiot idiotic, silly

ignorer to be unaware, not known

il *m* he, it; **— y a** there is (are), ago

île *f* island

ils *m pl* they

image *f* picture, image

immédiatement immediately

immeuble *m* building, apartment building

impair odd, uneven

imposant imposing, impressive

impôts *m pl* taxes

impressionner to impress

impuissant powerless

inaperçu unnoticed

inclure to include

incroyable unbelievable

indigné indignant

individu *m* individual

infantilisme *m* childishness

ingénieur *m* engineer

injustement unjustly

installer to settle, move in

instituteur, institutrice elementary school teacher

intellectuellement intellectually

interdiction *f* : **— de doubler** no passing

interdit forbidden

intéressant interesting

intéresser to interest; **s'— à** to be interested in

intérêt *m* interest

intérieurement inside, on the inside

interrompre to interrupt

intime intimate

intitulé intitled

intransigeant uncompromising

invité, invitée guest

irait, iriez, iraient (*cond of* **aller**) would go

irons (*fut of* **aller**) will go

isolé isolated, deserted

italien, italienne Italian

itinéraire *m* itinerary

## J

jaloux, jalouse jealous

jamais never, ever; **ne... —** never

jambe *f* leg

janvier *m* January

Japon *m* Japan

jardin *m* garden

jaune yellow

je I

jeter to throw

jeu *m* game; **— de boules** bowling; **les Jeux Olympiques** the Olympic Games

jeudi *m* Thursday

jeune young

jeunesse *f* youth

Joconde *f* Mona Lisa

joie *f* joy

joli pretty

jonglerie *f* juggling

jongleur *m* juggler

jouer to play; **— aux cartes** to play cards

jouet *m* toy

jour *m* day; **deux fois par —** twice a day; **tous les —s** every day

journal, *pl* journaux *m* newspaper

journée *f* day

joyeux, joyeuse happy, cheerful

juge *m* judge

juger to judge

juillet *m* July

jus *m* juice

jusque as far as, until, up to

juste just, correct, right

justement justly, rightly

## L

la the, it, her

là there; **—-bas** (over) there; **ce jour-—** that day

laisser to leave, let allow

lait *m* milk

laitue *f* lettuce

lampe *f* lamp; **— de poche** flashlight

lancer to launch, throw
langue *f* language, tongue
large wide, broad, large
largement greatly, vastly
lavabo *m* bathroom sink
laver to wash; se — to wash (oneself); machine à — washing machine
laveur, laveuse washer
le the, it, him
leçon *f* lesson
léger, légère light
légitime legal, legitimate
lendemain *m* the next day, following day; le — matin the next morning
lent slow
lentement slowly
lequel, laquelle, lesquels, lesquelles which
les the, them
lettre *f* letter; étude des —s study of humanities; papier à —s stationery
leur their, (to) them
lever to raise; se — to get up
librairie *f* bookstore
libre free
librement freely
lien *m* tie
lieu *m* place; au — de instead of; avoir — to take place; en dernier — in the last place; en premier — in the first place
ligne *f* line
linge *m* clothes, linen
lionceau *m* lion cub
lire to read
lit *m* bed; faire son — to make one's bed
littéralement literally
livre *m* book
livre *f* pound
livret *m* booklet, pass-book
location *f* rental, location
logement *m* lodging
loger to stay, be lodged
loin far; au — at a distance

loi *f* law
loisir *m* leisure, spare-time activity
Londres London
long, longue long; le long des rues along the streets; — de 3000 kilomètres 3000 kilometers long
longtemps long, a long time
longueur *f* length
lourd heavy
loyer *m* rent
lu (*pp of* lire) read
lui (to, for) him, (to, for) her; —-même himself
lumière *f* light
lundi *m* Monday
lune *f* moon
luxe *m* luxury; hôtel de — luxury hotel
luxueux, luxueuse luxurious
lycée *m* French secondary school equivalent to the American high school and junior college
lycéen, lycéenne French *lycee* student
lyonnais from Lyon


# M

ma *f* my
machine *f* machine; — à écrire typewriter; — à laver washing machine
magasin *m* store
magique magic
magnétophone *m* tape recorder
magnifique terrific, great, magnificent
mai *m* May
main *f* hand
maintenant now
mais but
maison *f* house; à la — at home, home; maîtresse de

— *f* housewife; — de retraite retirement home
maîtresse de maison *f* housewife
mal badly, poorly, ill
malade sick
malade *m f* patient
maladie *f* sickness, illness
malgré in spite of
malheur *m* misfortune
malheureusement unfortunately
malheureux, malheureuse unhappy, unfortunate
Manche *f* the English Channel
manger to eat
manière *f* way, manner; de toute — at any rate
manifester to demonstrate, show, protest
manque *m* lack, absence
manquer to lack, miss; — de confiance to lack confidence
manteau *m* coat
marchand *m* merchant, seller, vendor
marche *f* walk, step; — à pied walking
marché *m* market; bon — cheap, inexpensive; le Marché C — Commun the Common Market
marcher to walk, run (*as a machine*)
mardi *m* Tuesday
marécageux, marécageuse swampy
mari *m* husband
mariage *m* marriage
se marier to get married
marin *m* sailor
maritime naval, maritime
Maroc *m* Morocco
marquer to mark
marron *m* chestnut, brown
mars *m* March
mât *m* pole, mast

**match** *m* game; **— de foot-ball** soccer, football game

**matériaux** *m pl* materials

**mathématiques** *f pl* mathematics

**matière** *f* subject (school)

**matin** *m* morning; **le lendemain —** the next morning, the following morning; **tous les —s** every morning

**matinée** *f* morning

**mauvais** bad; **il fait —** the weather is bad

**maux** (*pl of* **mal**) aches

**me** (to) me, (to) myself

**mécanicien** *m* mechanic

**médaille** *f* medal

**médecin** *m* doctor

**médicament** *m* medicine

**meilleur** best, better

**mélanger** to mix

**mélodieux, mélodieuse** melodious

**même** same, even; **de —** likewise, in the same way; **en — temps** at the same time; **moi-—** myself; **quand —** just the same, anyway; **tout de —** just the same, anyway

**menaçant** threatening

**menacer** to threaten

**ménage** *m* : **faire le —** to do the housework

**ménager, ménagère** : **tâches ménagères** housework

**mener** to lead

**mensuel, mensuelle** monthly

**mer** *f* sea; **au bord de la —** at the seashore; **en haute —** on the high sea

**merci** thank you

**mercredi** *m* Wednesday

**mère** *f* mother

**mériter** to earn, deserve

**merveilleux, merveilleuse** wonderful, admirable

**mes** my

**messe** *f* mass

**mesure** *f* measure; **dans quelle —** to what extent

**mesurer** to measure

**météorologique** pertaining to the weather; **bulletin — ** *m* weather report

**métier** *m* trade, business, profession

**métro** *m* subway

**mettre** to put; **— en cause** to question; **se — en colère** to become angry; **se — à faire** to begin to do

**meuble** *m* furniture

**meublé** furnished

**meurent** (*pres of* **mourir**) die

**midi** *m* noon; **le Midi (de la France)** the South (of France)

**mien, mienne** mine

**mieux** better, best; **aimer —** to prefer; **valoir —** to be better, preferable

**milieu** *m* middle, midst, environment; **au —** in the middle

**mille** *m* thousand

**milliard** billion

**mineur** *m* miner

**minime** minimal

**minuscule** minute, tiny

**minoritaire** minority

**minuit** *m* midnight

**miroir** *m* mirror

**mis** (*pp of* **mettre**) put

**mode** *f* fashion; **à la —** in style

**modéré** moderate, reasonable

**moi** me, I; **—-même** myself

**moins** less, least; **au —, du —** at least; **de — en —** less and less; **— de** less than; **plus ou —** more or less

**mois** *m* month

**mon** *m* my

**monde** *m* world, people; **tout le —** everybody

**mondial** : **la deuxième**

**guerre —e** the Second World War

**moniteur de ski** *m* ski instructor

**monnaie** *f* change, money; **pièce de —** *f* coin

**monsieur,** *pl* **messieurs** *m* Mr., sir, gentleman

**montage** *m* set-up

**montagne** *f* mountain

**monter** to go up, rise, bring up, get on, get in

**montre** *f* watch

**montrer** to show

**se moquer** to make fun

**morceau** *m* piece

**mordre** to bite

**mort** *f* death

**mort** (*pp of* **mourir**) died, dead

**mot** *m* word

**moto(cyclette)** *f* motorcycle

**moustique** *m* mosquito

**mouton** *m* sheep

**moyen** *m* means

**moyen, moyenne** average

**mur** *m* wall

**musée** *m* museum

**musique** *f* music

**musulman** *m* Moslem

**mystère** *m* mystery

**mystérieux, mystérieuse** mysterious

## N

**nager** to swin

**nageur, nageuse** swimmer

**naissance** *f* birth

**naît** (*pres of* **naître**) is born

**nappe** *f* tablecloth

**Nations-Unies** *f pl* United Nations

**naturel, naturelle** natural

**naufrage** *m* shipwreck

**nautique** : **ski —** *m* water skiing

**ne** no, not; **—... aucun** no,

none; —... **jamais** never; —... **ni... ni** neither . . . nor . . . ; —... **pas** not, no; —... **personne** nobody; —... **plus** no longer; —... **que** only, nothing but; —... **rien** nothing

**né** (*pp of* **naître**) born

**nécessaire** necessary

**neige** *f* snow

**nerveux, nerveuse** nervous

**nettoyage** *m* cleaning

**nettoyer** to clean

**neuf** nine

**neuf, neuve** new

**névrose** *f* neurosis

**ni... ni** neither . . . nor

**niveau** *m* level; **— de vie** standard of living

**Noël** *m* Christmas

**noir** black

**nom** *m* name

**nombre** *m* number

**nombreux, nombreuse** numerous

**nommer** to name

**non** no; **— plus** not . . . either, neither

**nord** *m* north

**normalement** normally

**nos** our

**nostalgique** homesick, nostalgic

**note** *f* grade, note

**notre** our

**nôtre** ours

**nourri** fed, nourished

**nourrissant** nourishing

**nourriture** *f* food

**nous** we, (to) us

**nouveau, nouvelle** new; **nouveau né** infant

**la Nouvelle-Orléans** New Orleans

**novembre** *m* November

**noyé** drowned, flooded

**nu** naked, bare

**nuage** *m* cloud

**nuit** *f* night

**numéro** *m* number, act

## O

**obéir** to obey

**obligatoire** obligatory, required

**obliger** to oblige; **être obligé de** to be obliged to, have to

**obtenir** to obtain, get

**odeur** *f* smell, scent

**œuf** *m* egg

**œuvre** *f* work

**officiellement** officially

**offre** *f* offer; **— d'emploi** job offer

**offrir** to offer

**oie** *f* goose

**oignon** *m* onion

**oiseau** *m* bird

**olympique** olympic; **les Jeux Olympiques** the Olympic Games

**on** one, somebody, we, they, people

**ont** (*pres of* **avoir**) have

**onze** eleven

**opposé** opposite, opposed

**ordonné** orderly

**ordre** *m* order

**ordures** *f pl* garbage

**oreille** *f* ear

**organisateur** *m* organizer

**ou** or; **—... —** either . . . or

**où** where

**oublier** to forget

**ouest** *m* west

**oui** *m* yes; **mais —** of course

**outil** *m* tool

**ouvert** (*pp of* **ouvrir**) opened

**ouvertement** openly

**ouvrier, ouvrière** worker, working

**ouvrir** to open

## P

**Pacifique** *m* Pacific (Ocean)

**pain** *m* bread; **petit —** roll

**paix** *f* peace

**palais** *m* palace

**pancarte** *f* sign

**pantalon** *m* pants

**paon** *m* peacock

**papier** *m* paper; **feuille de —** *f* sheet of paper; **— hygiénique** toilet paper; **— à lettres** stationery

**par** by, through, by means of; **— conséquent** consequently; **— exemple** for example; **— ici, — là** over here, over there; **une fois — jour** once a day

**parachutisme** *m* parachuting, ski-diving

**paraître** to appear, seem

**parc** *m* park

**parce que** because

**parcouru** (*pp of* **parcourir**) covered, gone over

**parent** *m* parent, relative

**parfait** perfect

**parfaitement** perfectly

**parfois** sometimes

**parisien, parisienne** Parisian

**parité** *f* equality

**parking** *m* parking lot

**parler** to speak, talk

**parmi** among

**partager** to share

**partenaire** *m f* partner

**parti** *m* party

**participer** to participate, take part

**particulier, particulière** particular, special

**particulièrement** particularly

**partie** *f* part; **faire —** to be a part; **surprise-—** *f* party

**partir** to leave, depart

**partout** everywhere

**pas** not, no; **ne... —** not, no; **— de...** no; **— du tout** not at all

**pas** *m* step

**passé** *m* past

**passer** to spend, pass

**se passer** to happen, take place

**patiemment** patiently

**pâtisserie** *f* pastry, pastry shop

**patron, patronne** boss, owner

**pauvre** poor

**pays** *m* country, area

**pêche** *f* fishing

**peignait** (*imp of* **peindre**) painted, used to paint

**peindre** to paint

**peintre** *m* painter; — **en bâtiment** house painter

**peinture** *f* painting

**pendant** during, for; — **que** while

**pénible** difficult, painful

**penser** to think; — **à** to think of (about); — **de** to have an opinion of, think of

**perçant** piercing

**percer** to pierce, cut through

**perdre** to lose

**père** *m* father

**périodique** periodic

**permis de conduire** *m* driver's license

**perroquet** *m* parrot

**personnage** *m* character

**personne** *f* person; **ne... —** no one; — **ne** no one

**personnellement** personally

**perte** *f* loss

**peser** to weigh

**pétanque** *f* type of outdoor bowling popular in Southern France

**petit** small, little; — **déjeuner** *m* breakfast

**peu** little, a little, somewhat; — **à** — little by little; — **de** little, few; **un** — a little

**peuple** *m* people, nation

**peur** *f* fear; **avoir** — **(de)** to be afraid (of); **faire** — to scare

**peut** (*pres of* **pouvoir**) can, is able to

**peut-être** perhaps

**peuvent** (*pres of* **pouvoir**) can, are able to

**peux** (*pres of* **pouvoir**) can, am able to, are able to

**photographe** *m* photographer

**phrase** *f* sentence

**physique** physical

**physique** *f* physics

**pièce** *f* room; — **de monnaie** coin; — **de théâtre** play

**pied** *m* foot; **aller** (**marcher**) **à** — to walk

**pilote** *m* pilot, driver

**pin** *m* pine

**pique-nique** *m* picnic

**piquet** *m* stake

**piste** *f* track

**pittoresque** picturesque

**place** *f* place, seat

**placement** *m* investment

**plaisanterie** *f* joke

**plaisir** *m* pleasure

**plaît** (*pres of* **plaire**) pleases; **s'il vous** — please

**plancher** *m* floor

**plat** *m* dish

**plateau** *m* tray

**plein** full

**pleinement** fully

**pleurer** to cry

**pleut** (*pres of* **pleuvoir**) rains

**plongée** *f* dive, diving

**plonger** to dive

**pluie** *f* rain

**plupart** *f* most, majority

**plus** more; **de** — besides, more; **de** — **en** — more and more; **en** — in addition; **le** — (the) most; **ne...** — no longer, no more; — **ou moins** more or less

**plusieurs** several

**plutôt** rather

**pneu** *m* tire

**pneumatique : canot** — *m* rubber dinghy

**poche** *f* pocket

**poids** *m* weight

**pointe** *f* : **heures de** — *f pl* rush hour

**pois : petits** — *m pl* peas

**poisson** *m* fish

**police** *f* police; **agent de** — policeman

**policier** *m* policeman

**politesse** *f* courtesy, politeness

**politique** *f* politics, political; **homme** — *m* politician

**Pologne** *f* Poland

**polonais** Polish

**pomme** *f* apple; — **de terre** potato

**pont** *m* bridge

**portatif, portative** portable

**porte** *f* door

**porter** to wear, carry

**poser** to place, put; — **une question** to ask a question

**posséder** to possess, own, have

**possible** possible; **faire son** — to do one's best

**postal** postal; **carte** —**e** *f* postcard

**poste** *m* post, job; — **de télévision** television set

**poste** *f* post office; **bureau de** — *m* post office

**poterie** *f* pottery

**poudre** *f* powder

**poulet** *m* chicken

**pour** for, in order to, on account of

**pourboire** *m* tip

**pourquoi** why

**pourra** (*fut of* **pouvoir**) will be able

**pourrais** (*cond of* **pouvoir**) could

**poursuivre** to pursue, follow

**pourtant** however

**pousser** to push, grow

**poussière** *f* dust

**pouvoir** to be able, can

**pouvoir** *m* power
**pratique** practical
**pratique** *f* practice
**pratiquement** practically
**pratiquer** to do, practice; —
un sport to play a sport
**précédent** preceding
**précéder** to preceed
**se précipiter** to hurry
**précisément** precisely
**préciser** to specify, state
**préjugé** *m* prejudice
**premier, première** first; en
premier lieu in the first
place
**prendre** to take, catch, seize,
get, eat, drink; — une décision to make a decision;
— garde to watch out
**près** near, close; — de near,
close (to)
**présenter** to present, intro-
duce
**pressé** in a hurry; citron — *m*
(squeezed) lemonade
**pression** *f* pressure
**prêt** ready
**preuve** *f* : faire ses —s to
prove oneself
**prière** *f* prayer
**printemps** *m* spring
**pris** (*pp of* **prendre**) taken
**privé** private, deprived
**prix** *m* cost, prize, value; à
tout — at all cost
**probablement** probably
**procéder** to proceed
**procès** *m* court case, trial
**prochain** next
**proche** near, close
**se procurer** to obtain, get
**producteur** *m* producer
**produit** *m* product
**professeur** *m* teacher, professor
**profiter** to profit; — de la
cuisine to take advantage
of the food
**profond** deep

**profondément** deeply, pro-
foundly
**progrès** *m* progress
**progressivement** progres-
sively
**projet** *m* project, plan
**promenade** *f* walk
**se promener** to take a walk
**promettre** to promise
**promis** (*pp of* **promettre**)
promised
**pronom** *m* pronoun
**propre** own, clean
**propriétaire** *m f* owner
**prouver** to prove
**Provence** *f* Provence, a
province in Southeastern
France
**psychologique** psychological
**psychologue** *m* psychologist
**pu** (*pp of* **pouvoir**) was, were
able
**public, publique** public
**publicité** *f* advertising, publicity
**puis** then, afterwards, next
**puisque** since
**puissant** powerful
**puissance** *f* power, strength
**punir** to punish
**punition** *f* punishment
**putois** *m* skunk
**Pyrénées** *f pl* Pyrenees,
mountains in southern
France

## Q

**quand** when; — même just
the same, anyway
**quarante** forty
**quartier** *m* quarter, district,
area, neighborhood
**quasi totalité** *f* almost all
**quatorze** fourteen
**quatre** four
**quatrième** fourth
**que** that, whom, which,

what, than; ce — what,
that which; plus jeune —
moi younger than I (am);
qu'est-ce — what
**quel, quelle** what, which
**quelque** some, any, a few; —
chose something
**quelquefois** sometimes
**quelqu'un**, *m pl* quelques-
uns, *f pl* quelques-unes
some, somebody, anybody
**question** *f* question; poser
une — to ask a question
**queue** *f* line, tail; faire la —
to stand in line
**qui** who, whom, which, that
**quinze** fifteen
**quitter** to leave
**quoi** what, which
**quotidien, quotidienne** daily

## R

**raconter** to tell
**raisin** *m* grape
**raison** *f* reason; avoir — to
be right
**raisonnable** reasonable, sensible
**raisonné** measured, reasoned
**ramasser** to pick up
**rang** *m* row
**se rappeler** to remember
**rarement** rarely
**rassurant** reassuring
**rationnel, rationnelle** ra-
tional, sane, sound
**rationnement** *m* rationing
**réagir** to react
**récemment** recently
**réception** *f* reception desk
(hotel)
**recevoir** to receive, invite
**recherche** *f* research
**recherché** affected, stylized
**récit** *m* story, account
**reçois, reçoit, reçoivent** (*pres
of* **recevoir**) receive, re-
ceives

recommander to recommend
recommencer to begin again
récompense f reward
reconduire to drive back
reconnaître to recognize
reconnu (pp of reconnaître) recognized
se recoucher to go back to bed
recréer to recreate
reculer to fall back
récupérer to recuperate, gain
réduire to reduce
réel, réelle real, authentic
réellement actually, really
refaire to redo
réfléchir to think, consider
refléter to reflect
refoulement m repression
refouler to repress
regarder to look at, watch
régime m diet; suivre un — to be on a diet
règle f rule
régner to reign
regretter to regret, miss
régulier, régulière regular
régulièrement regularly
reine f queen
rejoindre to rejoin
relativement relatively
remarque f remark
remarquer to notice, observe
remettre to put back
rempart m rampart
remplacer to replace
renard m fox
rencontrer to meet, find
rendez-vous m date, meeting
rendre to render, return, make; — un service à quelqu'un to do someone a favor; — visite à quelqu'un to pay someone a visit
renové renovated
renseignements m pl information
rentrer to return

réparer to repair
repartir to leave again
repas m meal
repassage m ironing
repasser to iron
répéter to repeat
répondre to answer
reportage m reporting, report
repos m rest
se reposer to rest
reprendre to take (again)
représentant m representative
repris (pp of reprendre) taken, started again
reprocher to reproach
requin m shark
réservoir m (gas) tank
résolu (pp of résoudre) solved
résoudre to resolve, solve
ressembler to resemble, look like
reste m rest, remainder
rester to stay, remain
résultat m result
retard m tardiness; être en — to be late
retour m return; aller-— round-trip
retraite f retirement; maison de — f retirement home
retrouver to find again
réussir to succeed
rêve m dream
rêver to dream
réveil m alarm clock, awakening
se révieller to wake up
réveillon m midnight supper on Christmas or New Year's Eve
révéler to reveal
revenir to come back, return
revue f magazine
richesse f wealth
rien nothing; ne... — nothing; sans — dire without saying anything

rient (pres of rire) laugh
rire to laugh
risquer to risk
rivière f river, stream
robe f dress
robuste sturdy
roi m king
romain Roman
roman m novel
rond round
ronfler to snore, rev (motor)
rose pink
rôti m roast
rouge red
rouler to drive, travel
route f route, road
rue f street
rumeur f noise
rusé sly, crafty
Russie f Russia

## S

sa f his, her, its, one's
sac m bag
sachant (pres part of savoir) knowing
sage wise, well-behaved
sain healthy
saison f season
sais, sait (pres of savoir) know, knows
salaire m salary, pay
sale dirty
saleté f dirtiness, mess
salle f room; — de bain bathroom; — de séjour living room
salon m living room; — de coiffure barber shop, beauty salon
samedi m Saturday
sans without; — cesse continuously; — doute probably
santé f health; en bonne — in good health
satisfaire to satisfy

**satisfaisant** satisfying

**saura** (*fut of* **savoir**) will know

**sauvage** wild

**sauver** to save

**savant** *m* scientist

**savez, savent** (*pres of* **savoir**) know

**savoir** to know

**savon** *m* soap

**scandaleux, scandaleuse** scandalous

**scientifique** scientific

**scolaire** pertaining to school

**se** (to, for) himself, herself, itself, oneself, themselves, each other

**sec, sèche** dry

**sécher** to dry, cut class

**secrétariat** *m* secretaryship

**sédentaire** sedentary

**seize** sixteen

**séjour** *m* stay; **salle de —** living room

**sel** *m* salt

**selon** according to

**semaine** *f* week; **une fois par — once a week**

**semblant : faire —** to pretend

**sembler** to seem, appear

**sens** *m* sense, meaning, direction

**sensibilité** *f* sensitivity

**sensible** sensitive

**sentiment** *m* feeling, sentiment

**se sentir** to feel; **vous vous sentez malade** you feel sick

**sept** seven

**sera, serez, seront** (*fut of* **être**) will be

**serais, serait, seraient** (*cond of* **être**) would be

**sérieusement** seriously

**sérieux, sérieuse** serious

**servir** to serve, be used

**ses** his, hers, its

**seul** alone, only; **toute seule** all by herself

**seulement** only

**si** if, so, whether, suppose

**siècle** *m* century

**silencieux, silencieuse** silent, quiet

**simplement** simply

**situer** to locate, situate

**ski** *m* ski; **— nautique** water skiing

**sœur** *f* sister

**soi-même** oneself

**soin** *m* care

**soir** *m* evening

**soirée** *f* evening

**soixante** sixty

**soldat** *m* soldier

**soleil** *m* sun

**solitaire** lonely

**somme** *f* sum

**sommeil** *m* sleep

**sommes** (*pres of* **être**) are

**somptueux, somptueuse** sumptuous

**son** his, hers, its

**son** *m* sound

**sondage** *m* poll

**sonner** to ring

**sonore** sonorous, loud, deep-sounding

**sont** (*pres of* **être**) are

**sors** (*pres of* **sortir**) leave, go out

**sorte** *f* kind, sort

**sortie** *f* outing, exit

**sortir** to leave, go out

**souffler** to blow

**souffrir** to suffer

**souhaiter** to wish

**souligner** to underline

**soupape** *f* valve; **— de sûreté** safety-valve

**souris** *f* mouse

**sous** under

**sousmarin** underwater

**souvenir** *m* memory, recollection

**se souvenir** to remember

**souvent** often, frequently

**souverain** sovereign

**soyez** (*imp of* **être**) be

**spacieux, spacieuse** spacious

**spatial** pertaining to space

**speakerine** *f* speaker

**spécialement** especially

**se spécialiser** to specialize, major

**spéléologie** *f* cave exploration

**sportif, sportive** athletic

**squelette** *m* skeleton

**strictement** strictly

**stylo** *m* pen

**subventionner** to subsidize

**sucré** sweetened

**sud** *m* south

**suffisamment** sufficiently, enough

**suffisant** sufficient

**suffit** (*pres of* **suffire**) suffices, is enough

**suggérer** to suggest

**suis** (*pres of* **être**) am

**Suisse** *f* Switzerland

**suit, suivez, suivent** (*pres of* **suivre**) follows, follow

**suite : tout de —** immediately

**suivant** following, next

**suivre** to follow; **— un régime** to diet

**sujet** *m* subject; **à ce —** on this subject; **au — de** about

**supérieur** superior, higher

**supermarché** *m* supermarket

**supplémentaire** additional, extra

**supprimer** to eliminate, wipe out

**sur** on, upon, about; **— demande** upon request; **un médecin — cent** one doctor out of a hundred

**sûr** sure, certain; **bien —** of course

**sûrement** surely

**surmonter** to overcome
**surprise-partie** f party
**surtout** especially, above all
**surveiller** to observe, watch over
**survivre** to survive
**sympathique** nice
**syndicat** m labor union

## T

**tabac** m tobacco
**tableau** m picture, table
**tâche** f task, chore; **—s ménagères** housework
**taille** f size
**tant** so much, so many
**taper** to type
**tard** late; **plus —** later
**tarte** f pie
**tasse** f cup
**taureau** m bull
**tauromachie** f bullfighting
**taux** m rate
**te** (to, for) you, yourself
**techniquement** technically
**technologique** technological
**tel, telle** such
**télé** f TV
**téléviseur** m television set
**tempête** f storm
**temporaire** temporary
**temps** m time; **beau —** nice weather; **en même —** at the same time; **le bon vieux —** the good old days
**tendance** f tendency
**tendresse** f tenderness
**tenir** to keep hold
**terrain** m ground; **— de camping** campground; **— de sports** playing field
**terre** f land, earth; **pomme de — f** potato
**tête** f head; **en —** ahead
**tiens** hey, look
**timide** shy
**tirer** to pull

**toile** f cloth, canvas
**toit** m roof
**tomber** to fall
**toréer** to bullfight
**tortue** f turtle, tortoise
**tôt** soon; **plus —** sooner
**totalement** totally
**toucher** to touch; **— un chèque** to cash a check
**toujours** always, still, ever
**tour** m trip, turn; **faire un — de la ville** to take a trip around the city; **— à —** by turns
**tourner** to turn
**tout, toutes, tous, toutes** all, every, quite, very; **en tout cas** at any rate; **pas du tout** not at all; **tous deux** both; **tous les jours** every day; **tout à fait** completely; **tout de même** just the same, anyway; **tout de suite** immediately; **tout droit** straight ahead; **tout d'un coup** all of a sudden; **tout le monde** everybody; **tout seul** all alone; **toutes les deux heures** every other hour
**traditionnellement** traditionally
**traduction** f translation
**traduire** to translate
**train** m train; **en — de** in the act of, (be) busy
**traitement** m treatment
**traiter** to treat, deal with
**tranquille** quiet
**tranquillement** quietly
**tranquillisant** m tranquilizer
**transport** m transportation; **moyen de — m** means of transportation
**trapéziste** m f trapeze artist
**travail** m work
**travailler** to work
**travailleur, travailleuse** worker, hard-working

**travaux** m pl works
**traversée** f crossing
**traverser** to cross
**tremblement** m : **— de terre** earthquake
**trente** thirty
**très** very
**trésor** m treasure
**triste** sad
**trois** three
**troisième** third
**tronc** m trunk
**trop** too; **— de** to much, too many
**trottoir** m sidewalk
**trouver** to find
**tu** you
**tuer** to kill
**Tunisie** f Tunisia
**tuyau** m pipe
**typique** typical

## U

**un, une** one, a, an
**urbain** urban
**usine** f factory
**utile** useful
**utiliser** to use

## V

**va** (pres of **aller**) goes, is going; **comment va-t-elle?** how is she?
**vacances** f pl vacation, holiday; **colonie de — f** summer camp; **être en —** to be on vacation; **partir en —** to go on vacation
**vaincre** to conquer, overcome
**vainqueur** m victor
**vais** (pres of **aller**) go
**vaisseau** m vessel
**vaisselle** f dishes; **faire la —** to do the dishes

**valeur** *f* value
**vallée** *f* valley
**vaut** (*pres of* **valoir**) is worth
**vautour** *m* vulture
**vécu** (*pp of* **vivre**) lived
**vedette** *f* star
**vendeur, vendeuse** salesperson
**vendre** to sell
**vendredi** *m* Friday
**se venger** to take revenge
**venir** to come; — **de** just, to have just
**vent** *m* wind
**véritable** real, genuine
**vérité** *f* truth
**verre** *m* glass
**verrez** (*fut of* **voir**) will see
**vers** toward; — **dix heures** around ten o'clock
**vert** green; **haricots** — s green beans
**veste** *f* jacket
**vêtements** *m pl* clothes
**veuillez** (*polite form of* **vouloir**) please
**veux, veut, veulent** (*pres of* **vouloir**) wish, want
**veuve** *f* widow
**viande** *f* meat
**victoire** *f* victory
**vide** empty
**vide-ordures** *m* garbage disposal
**vie** *f* life, living
**vieillard** *m* old man

**vieille** (*f of* **vieux**) old
**viens, vient, viennent** (*pres of* **venir**) come, comes
**vieux, vieille** old
**vif, vive** alive, bright
**vigoureux, vigoureuse** vigorous
**ville** *f* city, town
**vin** *m* wine
**vingt** twenty
**vingtaine** *f* around twenty
**visite** *f* visit; **faire une** — to visit; **rendre** — **à** to visit (people)
**vit** (*pres of* **vivre**) lives
**vite** quick, quickly
**vitesse** *f* speed
**vivant** alive; **de son** — while he or she was living
**vive, vivent** (*subj of* **vivre**) live; **vive(nt) !** long live!
**vivre** to live
**vogue** *f* fashion
**voici** here is (are), there is (are)
**voient** (*pres of* **voir**) see
**voilà** there is (are)
**voile** *f* saile; **bateau à** — *m* sailboat
**voir** to see, look
**vois, voit** (*pres of* **voir**) see, sees
**voisin** neighbor
**voiture** *f* car
**voix** *f* voice
**volant** *m* steering wheel

**volcan** *m* volcano
**volontiers** gladly, willingly
**vont** (*pres of* **aller**) go
**vos** (*pl of* **votre**) your
**votre** your
**voudrais, voudrait, voudriez, voudraient** (*cond of* **vouloir**) would like
**voulez** (*pres of* **vouloir**) wish, want
**vouloir** to wish, want; — **dire** to mean
**vous** you; —-**même(s)** yourself, yourselves
**voyage** *m* trip; **faire un** — to take a trip
**voyager** to travel
**voyelle** *f* vowel
**voyez, voyons** (*pres of* **voir**) see
**vrai** true
**vraiment** really, truly
**vu** (*pp of* **voir**) seen, saw

## W

**wagon** *m* car (*of a train*)

## Y

**y** in it, at it, to it, there; **il** — **a** there is (are), ago
**yeux** (*m pl of* **œil**) eyes

ILLUSTRATION CREDITS

Helena Kolda: ii, 19, 20 (HRW), 21 (HRW), 35, 41, 67, 79 (HRW), 86 (HRW), 92, 156, 159, 161, 163, 175

Simone Oudot: iii

Courtesy French Embassy Press and Information Division: 10, 14, 45, 46, 51, 58, 61, 67, 81, 83, 106, 112, 155, 156, 157, 173, 181

J. Pavlovsky from Photo Researchers: 11

Alice Kandell from Photo Researchers: 18

Robert Cohen from Black Star: 19

C. Santos from Photo Researchers: 22

Dorka Raynor: 25, 34 (Photo Researchers), 63 (Photo Researchers), 64, 66 (left)

Robert Doisneau from Photo Researchers: 27

Ciccione from Photo Researchers: 39

Courtesy Carl Purcell/National Education Association: 53

Pierre Le Gall from Photo Researchers: 60

Bernard Chelet (HRW): 66 (right), 160

Marc Riboud from Magnum: 74

Frances Bannett from Design Photographers International: 90

M. A. Geissinger from Photo Researchers: 132

Bob Adelman from Magnum: 135

Laima Turnley from Editorial Photocolor Archives: 137

Thierry Berthomier from Photo Researchers: 141

Courtesy Air France Photo: 136

S. Duray from Photo Researchers: 165

Courtesy of Le Cygne Restaurant, New York: 167

R. Capa from Magnum: 170

Courtesy Soirbi Sunami/Museum of Modern Art, New York: 172

Photographie Giraudon: 176

Drawings by Ric Estrada

Cover design by Kathleen Lipinski